JN277155

早わかり
ミャンマー
Myanmar Business
ビジネス

ミャンマー経済・投資センター［編著］

B&Tブックス
日刊工業新聞社

はじめに

　このたび、日刊工業新聞社のご提案により、「早わかり　ミャンマービジネス」を出版することになりました。

　ミャンマーは、2011年3月の民主化移行、それに続く欧米の制裁解除により、残されたアジア最後のフロンティアとして、一躍、世界中の脚光を浴びるようになりました。2013年11月にオバマ大統領が訪問したことは象徴的な出来事です。アメリカ企業は大きな期待を寄せています。2013年2月には、アメリカ、ミャンマー間の商工会議所会議がミャンマーで開催されています。

　日本もいち早くアクションを起こし、民主党政権下で相次ぎ閣僚が訪問しました。そして、2012年4月にはテインセイン大統領が訪日し、当時の野田首相との間で首脳会談が行われました。また、自民党政権になって2013年1月麻生副総理兼財務大臣がネーピードーを訪問し、500億円の借款を表明しました。民間においても、大型ミッションが派遣されています。2012年9月は日本商工会議所が、2013年2月には経団連がいずれも100人を超える大型のミッションを派遣し、ミャンマー政府、商工会議所と意見交換を行ってきています。また、地方においても、公共団体、商工会議所などが様々なミッションを派遣していることが大きな特色です。日刊工業新聞・日本産業人クラブ連合会も2013年2月下旬に産業視察およびビジネス交流を行っています。

　現地では、駐在員事務所のラッシュが続いています。このため、オフィスコストは上昇し、また、ホテル事情、レジデンス事情は悪化しております。

　果たして、ビジネスチャンスがあるであろうかということが最大の関心です。ハード、ソフトのインフラ整備が不十分であり、進出するのにまだ早いと感ずる人が多いと思われます。

　ミャンマー政府は、海外からの投資誘致促進のため、外国投資法を2012年11月改正しました。そして、2013年1月末、施行細則を発表しました。これは、ミャンマーの経済発展のため、遅れている外国投資を早く受け入れたいと

する意欲の表れです。欧米の制裁中（日本も追随）、近隣国、とりわけ中国、タイの進出が目立ったわけですが、ミャンマー政府は今や世界からの投資を期待し、日本からの投資についても大きな期待を寄せています。

　また、中国における投資環境上の問題により、チャイナプラスワンとして、ミャンマーも脚光を浴びており、現にその動きは生じております。

　確かに、様々なインフラ整備上の問題がありますが、それ自体、大きなビジネスチャンスであることを意味しています。問題は、条件が整うまで待つか、今の段階で何らかの糸口をつかんでいくかというビジネス判断であろうと思われます。そういう意味で、私どもは本書が皆様のお役に立つことを、とりわけ中堅・中小企業の皆様方のご関心が高まることを期待しております。

　ただ、ミャンマーの情報源に限界があることも多く、ビジネス情報はなかなか入手しにくいことも事実です。このほど、ようやく民間の日刊紙が解禁になり、ミャンマービジネス情報も多くなると思われます。今、ミャンマー企業は自らの企業紹介をする情報をきちんとできない状況であり、ビジネス交流を行っていく上でこの点の改善が強く求められています。

　ミャンマーでは、先客万来でNATO（No Action Talk Only）が閣僚間でも話題になっているそうです。1件でも具体的な投資が行われることを期待しているというのが本音です。2014年にミャンマーはASEANの議長国になります。そして、2015年には大統領選挙が行われます。ミャンマーの民主化は、もう後退はしないでしょう。21世紀の残されたフロンティアに日本が出遅れないよう、大いに期待するものです。

　本書の執筆は、ミャンマー経済・投資センターが中心となり8人で担当しております。文体などの不統一はご容赦いただきたいと思います。重ねて、執筆の機会を与えてくださった日刊工業新聞社にお礼を申し上げます。

2013年4月

　　　　　　　　　ミャンマー経済・投資センター　理事長　米村　紀幸

「早わかりミャンマービジネス」発刊によせて

駐日ミャンマー大使館　特命全権大使　キンマウンティン閣下

　ミャンマーは今、新たな投資先として、また日本の多くの実業界、特に中小企業にとって、世界における最後のフロンティアとしてよく知られるようになりました。中小企業にとっては、ミャンマーという国の全体像を捉える段階かも知れません。

　私は、全てのビジネス分野において「早わかりミャンマービジネス」がミャンマーにおける皆様の今後のビジネスのための理解を促すものであると深く信じております。また、将来のターゲットとなる新規投資分野については、未来の投資のために決定を下される前に徹底的に学習されることを期待しております。

執筆者紹介

- ミャンマー経済・投資センター　理事長　　米村　紀幸
  （元通商産業研究所次長、元中小企業診断協会会長）
- 　　　　　同　　　　　　　　　理事　　　都築　治
  （NPOザ・コンサルタンツ ミャンマー理事長、中小企業診断士）
- 　　　　　同　　　　　　　　　理事　　　ティティ レイ
  （今泉ビルマ・設立奨学会理事長、茨城大学工学部非常勤講師）
- 　　　　　同　　　　　　　　　参与　　　藤村　建夫
  （ミャンマー日本・エコツーリズム会長、元JICAミャンマー事務所長）
- 　　　　　同　　　　　　　　事務局次長　名倉　寛恭
  （㈱GDMC執行役員、中小企業診断士）
- 　　　　　同　　　　　　　　事務局次長　北川　香織
  （ベトナム経済研究所主任研究員）
- アジア・ジャーナリスト　　　　　　　　　松田　健
- 株式会社三井住友銀行 グローバル・アドバイザリー部
  営業開発グループ（シンガポール）上席推進役　大和田　誠

〈各章の執筆担当者〉

第1章	松田、北川	第6章	松田
第2章	北川、松田	第7章	藤村、松田
第3章	名倉、都築	第8章	藤村
第4章	ティティ レイ	第9章	名倉、米村、ティティ レイ
第5章	米村、大和田	巻末資料	都築

目次

はじめに
「早わかりミャンマービジネス」発刊によせて

第1章 今、なぜミャンマーか

- 1-1 民主化で加速するミャンマー ……………………… 2
- 1-2 豊富な天然資源と農産物 …………………………… 5
- 1-3 人口6,200万人、高い識字率と低賃金な労働力 …… 8
- 1-4 外国投資法の改正による外資誘致 ………………… 10
- 1-5 欧米の制裁解除 ……………………………………… 12

第2章 ミャンマーの産業

- 2-1 ミャンマー経済の特徴 ……………………………… 16
- 2-2 ミャンマーの産業構造 ……………………………… 21
- 2-3 貿易投資構造 ………………………………………… 26
- 2-4 輸出入品目、対象国 ………………………………… 27
- 2-5 市場の鍵を握る国境貿易 …………………………… 30

第3章 ミャンマーでビジネスを始めるために

- 3-1 ビジネスの糸口 ……………………………………… 34
- 3-2 ミャンマーの商慣行 ………………………………… 37
- 3-3 ミャンマー連邦商工会議所（UMFCCI） ………… 40
- 3-4 協力有望業種 ………………………………………… 44

第4章 ビジネスを始めるための実務

- 4-1 ミャンマーの労働力と賃金事情 …… *62*
- 4-2 労働関連法 …… *74*
- 4-3 会社法の手続き …… *78*
- 4-4 外国投資法に基づく投資許可申請 …… *79*
- 4-5 「営業許可」および「法人登記」申請 …… *82*

第5章 外国投資制度と金融事情

- 5-1 ミャンマーへの外国投資概況 …… *88*
- 5-2 外国投資法の概要と最近の改正 …… *93*
- 5-3 ミャンマーの税制 …… *114*
- 5-4 ミャンマーの金融事情 …… *118*

第6章 ミャンマーの開発動向

- 6-1 工業団地の開発動向 …… *128*
- 6-2 ティラワ経済特別区 …… *132*
- 6-3 ダウェイ経済特別区 …… *135*
- 6-4 パイプライン敷設工事を急ぐ中国 …… *138*

第7章 今後の成長を握る鍵

- 7-1 民政移管後の歩み …… *142*
- 7-2 急速な改善を迫られる物流・インフラ …… *150*
- 7-3 既に見られる熟練労働者の不足 …… *174*

| 7-4 | 2015年を巡る動き | 176 |
| 7-5 | 再発のおそれもある少数民族問題 | 179 |

第8章 日本の取り組み

8-1	これまでの日本の政府開発援助	182
8-2	急展開する日本の対ミャンマー政策	185
8-3	貿易保険の再開	191

第9章 日系企業の進出事例

9-1	㈱高政	196
9-2	マニー㈱	198
9-3	㈱ハニーズ	200
9-4	㈱アライズ	202
9-5	㈱第一コンピューターズ	204

巻末資料

ミャンマーの基礎知識 …… 208
　国のかたち（歴史、国家概要・国土）／ミャンマーの人々（宗教・国民性）／ミャンマー政府閣僚名簿

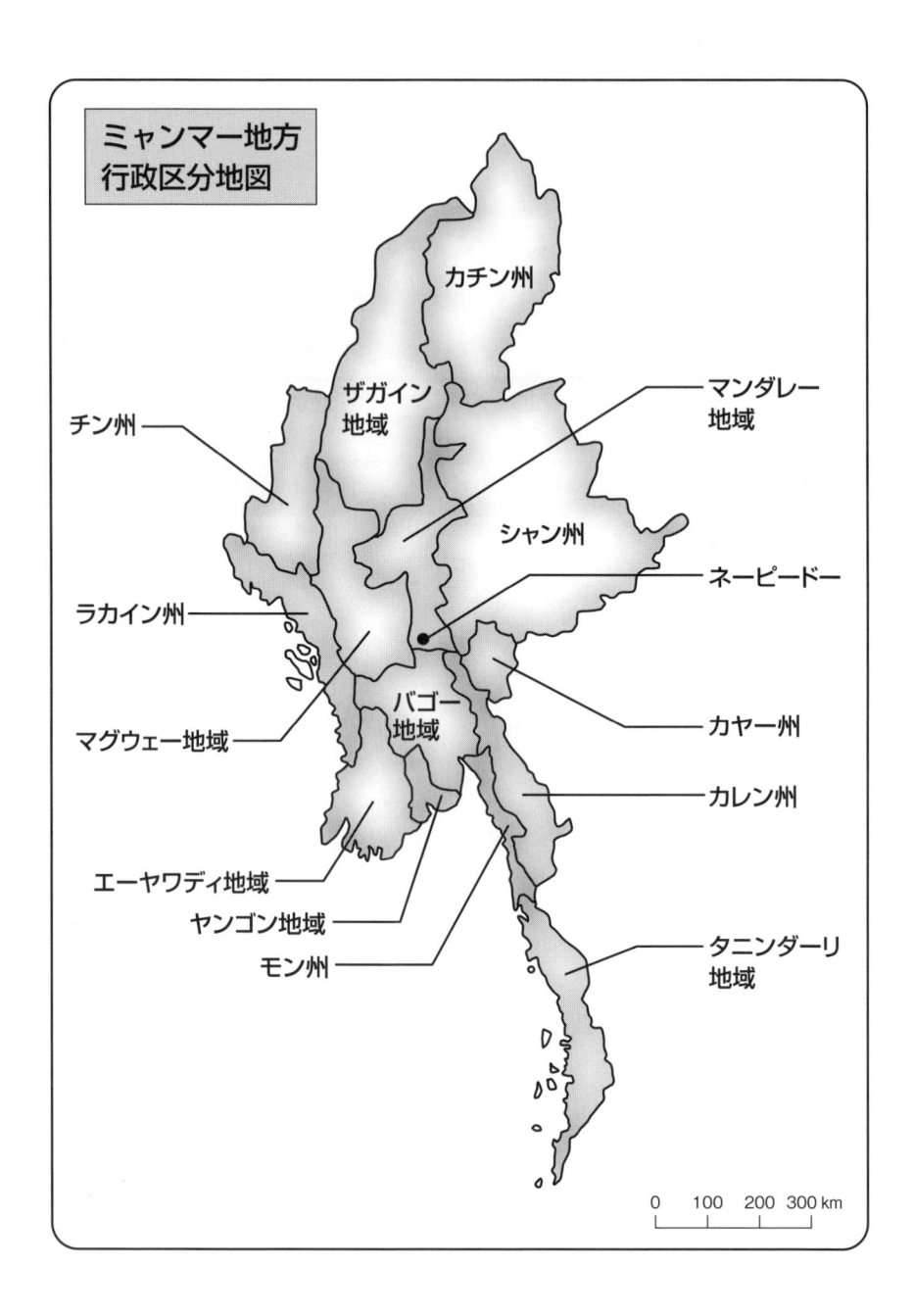

ミャンマー地方行政区分地図

【第1章】
CHAPTER.1

今、なぜミャンマーか

1-1 民主化で加速するミャンマー

2011年3月の民政移管で世界が注目。
6,200万人の市場を目指し、ミャンマービジネスに熱視線

　中国での反日運動を見て、海外投資や国際ビジネスの展開で親日度の高い国の優位性を再認識した人は多いことでしょう。アジアには親日国が多いのですが、ミャンマーほどの国は少ないのではないでしょうか。ミャンマーは資源国でもあり、アジアのラスト・フロンティアとして、近い将来、東南アジア最大級の投資受入れ国になる可能性があります。

　2011年2月4日、ミャンマー国会は上下両院の議員投票で民政移管後の新政権の初代大統領として、軍事政権序列4位で2007年から首相を務めていたテインセイン氏（当時65歳）を選出し、翌3月30日、首都ネーピードーの連邦議会でテインセイン首相が大統領に就任、20年以上続いた軍事政権下でキンニュン首相時代から進めてきた7段階の民主化ロードマップが終了しました。

　その後、テインセイン政権が予想以上の急ピッチで民主化を進め、中国と距離を置く国づくりを評価した米国は、欧州に続き、1997年から続けてきた経済制裁を2012年に緩和しました。

　クリントン国務長官が2012年5月17日に発表した経済制裁緩和は、ミャンマーへの新規投資と金融取引の禁止措置の停止、そして22年ぶりとなるミャンマーへの大使派遣（デレク・ミッチェル元国務省日本部長）でした。

　ミャンマーは極めて親日的な国であり、人口6,200万人はかなりの大市場であり、他のアジアとの比較では人手不足問題も小さいものです。ミャンマーの現在の人件費は中国の5分の1以下ですが、全般的に勤勉な人も多く、反日運動もほとんどありません。

　ミャンマーが民政化したと言っても、テインセイン大統領をはじめ軍人出身の閣僚が多いのは事実です。しかし、商業相にはミャンマー連邦商工会議所連合会（UMFCCI）会頭で民間人であるウィンミン氏が選ばれるなど、民間出

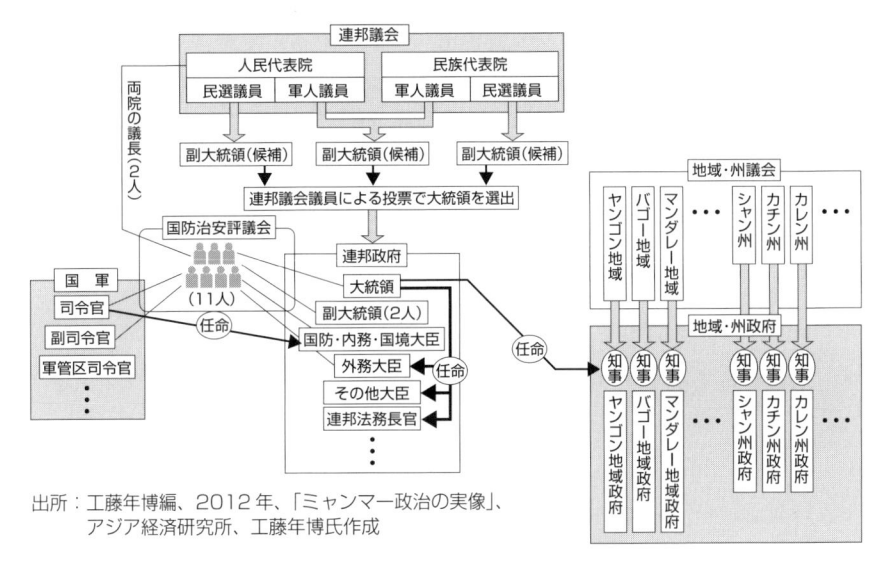

出所：工藤年博編、2012年、「ミャンマー政治の実像」、
　　　アジア経済研究所、工藤年博氏作成

図 1.1　ミャンマーの新国家機構図

身の大臣、副大臣（閣僚メンバー）が各省で選出され、開かれたビジネス環境づくりも始まっています。テインセイン政権の構成とその組織および国家の新機構は**図1.1**のとおりです。

　大統領の下に2人の副大統領がいて、その下に37人の大臣がいます。その内6人の大臣は大統領府に配置されています。副大臣は、大統領府に2人、31省に50人が配置されています。この人数はかなり大きな政府と言えるでしょう。2012年8月に新政権の改造が行われ、大統領府に6人の大臣が配置されたことは大変ユニークで、大統領がかなり強い権限を持って、内部調整を行う強い意思を表しているものと考えられます。このことは、2015年に総選挙が予定されており、それまでの4年間に相当の実績をつくりたいという決意の表れと思われます。

　ミャンマーへの投資で長年に渡る最大のネックの1つだった多重為替問題も解消しています。35年間続いてきた公定レートは、実勢レートに合わせるこ

とで廃止し、2012年4月1日から管理変動相場制をスタートさせました。2012年11月に議会を通過、成立した新たな外国投資法は、日本からミャンマー投資を検討中の企業にとってはまだ十分な内容ではないかも知れませんが、いつかタイやベトナムなどと遜色のない外資優遇制度になることでしょう。

　アジア最貧国と言われてきたミャンマーの購買力も再認識されています。近年、大型のショッピングセンターがヤンゴン各地に誕生しています。ヤンゴン地域の人口600万人のうち、約5％が高額所得者で、中所得者も数割に上るとされています。そんなヤンゴンの市場を狙って、日本では100円均一ショップとして知られるダイソーが2012年3月に第1号店を出店しました。タイのダイソー・チェーン店では1つが60バーツ（約160円）なので、それよりもやや高い1,800チャット（約180円）ですが、ヤンゴン店はバンコクに比べて数倍の売れ行きで、今後チェーン店を展開していくようです。

　ヤンゴンで老舗の日本食レストランである「一番館」では、数人で食べれば数万円する神戸牛も注文するのは全てミャンマー人だと言います。タイで日本人が経営する大手の日本食レストランチェーン「フジ」は、2012年にヤンゴンに進出し人気を呼んでおり、今後チェーン店を増やす予定だそうです。

　2010年より中国から輸入されている超小型車「チェリーQQ」は、ミャンマー初の新車のタクシーとして目立つ存在になっています。日本の中古車だけといった感じだったヤンゴンで、「チェリーQQ」は破格の130万円という安さで販売されて人気が出ました。他の新車輸入が正規に認められれば、ミャンマーの中古車市場は縮小することでしょう。日本製の中古エンジン使って組立・販売されてきた、品質が極めて悪く、危険この上なかったミャンマー製ジープやトラックなどを製造する工場も、この1年で激減しています。

1-2 豊富な天然資源と農産物

天然ガス、石油、鉱物、農林水産物など、
豊かな天然資源に諸外国が注目

　ミャンマーの天然資源は、天然ガス、石油、金や銀、希少金属を含む鉱物、水産物、チークなどの高級木材など、極めて広い範囲で豊富です。資源国オーストラリアがラッキー・カントリーと呼ばれるように、ミャンマーが資源輸出で化ける可能性は高いと言えるでしょう。ミャンマー経済がまだ発展寸前の現在、既に通貨のチャットが高く推移している背景にも、これら天然資源の輸出増が影響しているとされています。

最大の輸出品目はタイへの天然ガス

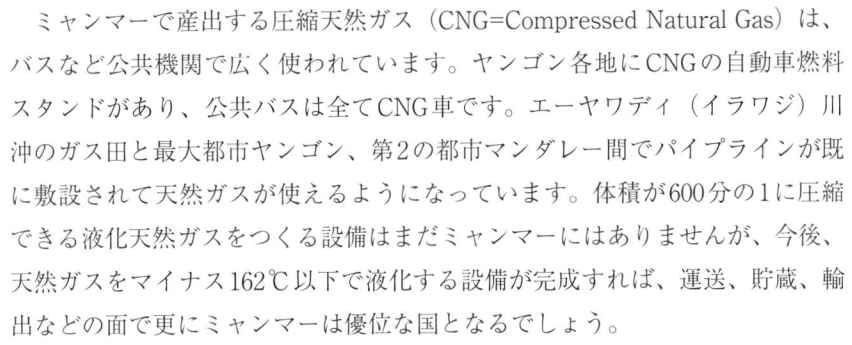

　ミャンマーで産出する圧縮天然ガス（CNG=Compressed Natural Gas）は、バスなど公共機関で広く使われています。ヤンゴン各地にCNGの自動車燃料スタンドがあり、公共バスは全てCNG車です。エーヤワディ（イラワジ）川沖のガス田と最大都市ヤンゴン、第2の都市マンダレー間でパイプラインが既に敷設されて天然ガスが使えるようになっています。体積が600分の1に圧縮できる液化天然ガスをつくる設備はまだミャンマーにはありませんが、今後、天然ガスをマイナス162℃以下で液化する設備が完成すれば、運送、貯蔵、輸出などの面で更にミャンマーは優位な国となるでしょう。

　ミャンマーの総輸出の半分近くを占め、ミャンマーにとって最大の外貨を稼いでいるのがアンダマン海からタイへの天然ガス輸出です。タイのラチャブリ発電所向けにパイプラインで輸出されているミャンマーの天然ガスを開発、現在まで一貫して運営しているのは、ミャンマーに経済制裁してきた米国企業のユノカルとフランスのトタールです。1996年から12億米ドルの資金を投入し、アジア経済危機後の1998年から、アンダマン海の海底からタイの発電所

まで、山を越え約700kmのパイプラインで直結しています。

実力あるミャンマーの農業

　エーヤワディ川などの大河が国土を縦断するミャンマーの土壌は、肥沃で農業に適しています。ミャンマーの農業の潜在力は大きく、平野が広がるミャンマーは東南アジア最大の農業国とされてきたタイをも追い抜く日が来るとの予測もあります。ミャンマー軍事政権では庶民の「食」を重視し、コメ、油といった主食の不足事態が発生することを極端に懸念していました。コメや油が不足すれば、暴動発生といった社会不安につながると考えられたからです。このため、従来のミャンマーでは「国内での余剰産品、余っている資源だけを輸出する」というのが基本方針で、貿易で外貨を稼ぐことよりミャンマー国内充足を優先することを徹底してきました。

　2008年5月、大型サイクロン「ナルギス」がエーヤワディ（イラワジ）川デルタ地帯を直撃し14万人以上の犠牲者を出し、ミャンマー最大の穀倉地帯でもあるこの地域の壊滅的打撃で、主食のコメ不足が懸念されたことがありました。しかし、その半年後の2008年末までにミャンマーでコメが豊作となり、他の農産物価格もサイクロンの前より安くなったのです。これについては、ミャンマーの消費者物価の定点観測をしているJETROのヤンゴン事務所も驚嘆したようです。

「有機農法」を売るミャンマーの農業

　ミャンマー連邦商工会議所がまとめたミャンマーの農産物の作付面積を見ると、コメが圧倒的に多く800万haを超えており、ついで豆類、油作物、産業用作物、果物、野菜の順となっています。また、農産物輸出では豆類、コメ、トウモロコシやスイカ、ナツメ、マスクメロン、マンゴーなどの果物が多くなっています。

歴史的にミャンマーの農家は貧しく、化学肥料が買えなかったことが、今や先進国で人気のあるオーガニック栽培（無農薬の有機栽培）での野菜栽培につながっており、農薬に汚染されていないミャンマーが再認識されつつあります。オーガニック栽培された商品を高くても買う層が増えていることは、ミャンマーにとってのビジネスチャンスであり、ミャンマー果物・野菜生産輸出者協会（MFVP=Myanmar Fruit and Vegetable Producer and Exporter Association）でも「汚染問題を抱える中国産の輸入を減らしたい日本市場がターゲットです。実は、日本で人気があるマツタケを輸出したいと取り組んでみましたが、ミャンマーも隣の中国雲南省にも日本のようにマツタケを食べる食習慣がなく、輸出できる量を1カ所に集めるのも現段階では大変です。しかし、日本への直行便が増えれば、ミャンマーの高級有機農産物の本格的供給の可能性が出てくると思います」と話しています。

　MFVPの活動は、農業の振興と地方の農民への開発支援が中心であり、より利益が出る市場を世界で探すことが重要な役割となっています。日本向けの付加価値を付けた農産物の輸出や、ミャンマーでの肥料や種の生産への日本企業の投資も期待しているようです。しかし、これまでミャンマーの農産物の対日輸出は少なく、蜂蜜、茶、ゴマ、ゴマ油、コンニャクの成分であるマンナン、漢方薬関連、日本人が指導したそばを使った焼酎、シイタケといった小規模なものが中心です。

　MFVPによると、年に2,500トンのカシューナッツを中国に輸出しており、ミャンマーの生産量は殻無しで年8,000トン、殻付きで4万3,000トンとのことですが、日本人バイヤーは「味はいいのですが、サイズがばらばらの現状では日本市場に輸出するのは難しい」とコメントしています。

1-3 人口6,200万人、高い識字率と低賃金な労働力

**熱心な仏教国であり、治安の良さが魅力。
賃金は今後必ず上昇することを考慮すべき**

日本より治安が良いミャンマー、背景にある仏教

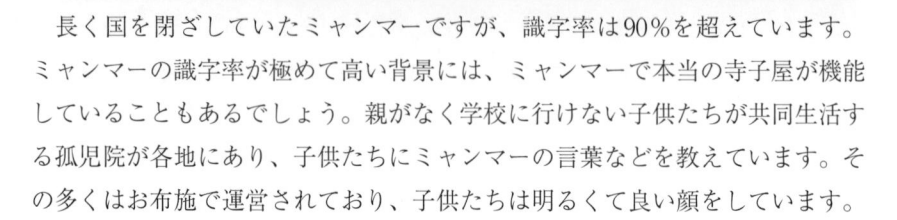

長く国を閉ざしていたミャンマーですが、識字率は90％を超えています。ミャンマーの識字率が極めて高い背景には、ミャンマーで本当の寺子屋が機能していることもあるでしょう。親がなく学校に行けない子供たちが共同生活する孤児院が各地にあり、子供たちにミャンマーの言葉などを教えています。その多くはお布施で運営されており、子供たちは明るくて良い顔をしています。

ミャンマーではまだ貧しい人が多いのが現状ですが、落とした財布が中身もそのまま戻ってきたといった話もよく聞く話です。普通のレストランの誰もいないレジに、無造作に札束が置かれている風景を見掛けることもありますが、盗みを考える人などいないようです。

ヤンゴンの宝飾品販売店では、ミャンマーの若い女性が1人で、両手にスーパーのプラスチック袋を抱えて買い物に来ていました。見ると、彼女が抱える札束はざっと50〜100万円といったところでしょうが、ミャンマーでは大金で

ネーピードーに2009年に完成したウッパタサンティ・パゴダ

す。これまでATMやクレジットカードがなかったことからこのような風景が見られるのですが、顧客が強盗に襲われるなどといった事件は起こっていないと言います。東京や大阪などの繁華街で、中が丸見えのプラスチック袋に1万円札の札束で数千万円を入れて持ち歩こうものなら危険です。アジア最貧国の現状ながら、ミャンマーの治安は日本よりも良いと言えそうです。

　貧しくても泥棒が少ないことなどからも感じられるミャンマーの民度の高さ、その背景には仏教が深くこの国に根を下ろしていることが上げられます。ミャンマーは地理的にはインドと中国の中間に位置し、インド系、中国系の国民も多いのですが、隣国のタイまでは文化的に中国の影響を感じることが多いのに対し、ミャンマーではインドの匂いがします。これは、ミャンマーがインドと同様に宗教が生活に密着しているからかも知れません。ミャンマーには中国人に多いお金が神様といった考えの人は皆無に近いですし、仏教を中心に生きるミャンマーには、笑顔大国とされるフィリピンよりも笑顔が多く溢れています。

　賃金について、現状ではその安さに目が行きがちですが、賃金は為替やインフレによって左右されるものです。これまで他のアジア諸国でもそうだったように、ミャンマーでも今後急激に上昇する可能性があることは考慮しておいた方がよいでしょう。

日本より通じる英語

　ミャンマーでは英語が通じると言われていますが、それは政府関係者や企業の役員、大学生など十分な教育を受けた一部の層に限られます。それでも、日本より英語が通じる国であることは確かです。ビジネスの現場では英語で十分ですし、書類なども英語で問題ありません。外国投資関連の書類も、ミャンマー語のものは不要で英語版だけで申請可能です。このような状況は、ミャンマーがかつて英国の植民地支配を受けてきたことと無縁ではないしょう。

1-4 外国投資法の改正による外資誘致

円借款の再開
新たな外国投資法で進出に関心

25年ぶりの円借款の再開

　テインセイン大統領は、主要8カ国訪問で日本を最初の国に選び2012年4月20日に来日しましたが、ミャンマー元首としては28年ぶりの来日でした。翌4月21日、東京で開催した日本・メコン首脳会議では、2013年から3年間に約6,000億円のODA（政府開発援助）を日本が供与することを表明しました。テインセイン大統領と会談した野田佳彦前首相は、凍結してきた円借款を25年ぶりで再開すると表明、約3,000億円の債務の放棄を伝えました。総額約5,000億円の延滞債務であり、残る約2,000億円についてはミャンマー政府が日本の金融機関からのつなぎ融資で返済することになりました。

　ミャンマーには過去の円借款における延滞債務問題があり、円借款を再開するにはこの債務延滞問題をまず解決する必要がありました。2013年1月3日にネーピードーを訪問した麻生太郎副総理・財務・金融相は、テインセイン大統領に「12年4月に合意した円借款の延滞債務放棄を2013年1月末までに実施、同年3月末までに26年ぶりの円借款を再開、500億円規模で融資する」と正式に表明しましたが、ティラワ経済特別区（SEZ）への融資もその候補の1つになるようです。

　日本が債務放棄する3,000億円は過去最大規模の債務放棄額であり、深海港もつくることができる額です。テインセイン大統領はその後、日本の技術、ミャンマー進出意欲に期待してティラワの開発を日本に任せる決断をしました。ティラワ開発に関心がある中国や韓国などが参加する国際入札を行わず、三菱商事、住友商事、丸紅などによる日本連合での開発が内定しています。

外国投資法の改正による外資誘致

　ミャンマー国家計画経済開発省（Ministry of National Planning and Economic Development）のレーレーテイン（Lai Lai Thein）計画局長などミャンマー高官は「日本との経済関係を深めたい」と日本に強く期待しています。

　2012年9月7日に連邦議会が可決した外国投資法改正案については、テインセイン大統領が内容に問題ありとして署名を拒否（期限の9月24日までにテインセイン大統領は署名しなかった）し、法案が議会に差し戻されたこともありましたが、同年11月2日には新たな外国投資法が成立し、同法細則も2013年1月31日に発表されています。

　テインセイン大統領のこれまでの動きを見ていると、大統領自身は外資を優遇しミャンマー経済を開放させたい考えのようです。また、外国企業もこの流れを受けてミャンマー進出を加速させています。日本企業の場合、製造業は2015年に完成するティラワ経済特別区への進出に関心が高まっていますが、その他では現在、ミャンマー国内向けの各種サービス業の進出が目立っているようです。

　外資受け入れを決めるミャンマー投資委員会（MIC）が新たな外国投資法で規制する分野については、ミャンマー国民だけで実施できる事業などに限られています。外国人の土地保有は工業団地内でも認められず、2回までの更新を含め最長70年間のリースです。

日刊工業新聞・日本産業人クラブ連合会主催
ミャンマー産業視察ツアーにて

1-5 欧米の制裁解除

民主化で世界の目が集まったのは、
全てこの制裁解除がきっかけである

　2011年3月30日に大統領に就任したテインセイン大統領は、その直後の2011年5月にジャカルタで開催されたASEAN首脳会議に臨みましたが、開催数日前からインドネシア入りし、ユドヨノ大統領と会談しました。インドネシアは東南アジア唯一の「G20」の国で、ASEANの盟主を自任しています。テインセイン大統領と同じ軍人出身のユドヨノ大統領は、この会談で「(やはり軍人出身の) スハルト大統領の時代からインドネシアが民主化に成功できた歴史に学んで欲しい」と語ったとされています。

　当初、ミャンマーが民主化を進めても、欧米の経済制裁の緩和が実現するまでにかなり時間が掛かると見られていましたが、2011年12月に米国はクリントン国務長官をミャンマーに派遣し、ネーピードーでテインセイン大統領、ヤンゴンでアウンサンスーチー氏と会談、その後1997年に始まった経済制裁の緩和が始まり、2012年4月23日には欧州連合 (EU) も対ミャンマー経済制裁はとりあえず1年間停止することを決定しました。

　経済制裁緩和のスピードアップを後押しするきっかけになったのは、テインセイン大統領が政治面、経済面でミャンマーにとって最大の関係があった中国のミャンマーでの存在を見直す動きを見せたことでした。軍事政権末期から中国が建設を始めていたカチン州を流れるエーヤワディ (イラワジ) 川本流の上流でのミッソンダム建設について、テインセイン大統領が突如として中止させたのです。

　さらに、2011年10月には2,000人を超える政治犯を含む多数の服役囚を恩赦で釈放、同年11月17日にはASEAN首脳会議で2014年にミャンマーが議長国になることが決定しました。そして、その翌日2011年11月18日、米国のオバマ大統領は「クリントン国務長官を翌12月にミャンマーに派遣する」と発表、

この発表から2週間も過ぎない11月30日にネーピードーに到着したクリントン国務長官は、12月1日にテインセイン大統領、その夜はヤンゴンの米国大使館にアウンサンスーチー氏を招いて夕食をとっています。
　日本政府は欧米の経済制裁には同調せず、ミャンマーへの独自外交、独自支援を続けてきたと言いますが、日本の首相のミャンマー訪問は1977年の福田赳夫首相以来なく、2002年に当時の川口順子外相がミャンマー訪問をした程度です。
　一方、諸外国の動きとしては、2012年4月に英国のキャメロン首相が民政移管後のミャンマーに主要国の首脳として初めて訪問し、韓国の李明博前大統領も2012年5月14日に国賓としてミャンマーを訪問しています。米国のオバマ大統領は、大統領再選が決まった直後である2012年11月19日にミャンマーを訪問しましたが、この訪問は現職の米国大統領として初のミャンマー訪問となりました。
　この日、テインセイン大統領は首都ネーピードーからわざわざヤンゴンに出て、旧国会議事堂でオバマ大統領と会見しました。この会談で、オバマ大統領は民主化の推進、全政治犯の無条件釈放、民族問題解決などを要望したと報道されています。画期的だったのは、オバマ大統領がこれまで米国が一貫して「ビルマ」と呼んできた旧国名でなく、ミャンマーがかねて要望してきた「ミャンマー」という正式国名を使ってテインセイン大統領と会見したことでした。

オバマ大統領の訪ミャンマー翌日に登場したコカコーラの広告看板

【第2章】
CHAPTER.2

ミャンマーの産業

2-1 ミャンマー経済の特徴

GDPの4割を占める農業
近隣諸国に依存する貿易・投資

　ミャンマーは、2011年3月に軍事政権から民主化への脱皮を図ったことで、一躍世界中から注目される国に変貌しました。天然ガスや鉱物類、農水産物などの豊かな天然資源を有していることに加え、かつては東南アジアナンバーワンの経済国であった経験から、その潜在能力は高く評価されており、アジア最後のフロンティアと言われるなど有望視されています。

　しかし、現状では1人当たりのGDP（2011年）は832米ドルとASEAN諸国の中では最下位であり、経済を支える電力、交通、通信などのインフラも未整備なことから、中長期的には魅力を感じるものの、発展にはまだ多くの時間が掛かるのでは、との声も聞かれます。

　ミャンマー経済の特徴としては、まず経済を支える一番の産業が農業であることが挙げられます。表2.1のとおり農業分野はGDPの約4割を占めており（2009年）、商業、製造業がそれに続きます。

　また近年、国際社会へ参画できなかった経緯から、貿易や投資などの多くを中国やタイなど近隣諸国に依存していることも大きな特徴です。貿易では、輸出上位3カ国（タイ、中国、インド）で7割、輸入では、中国、シンガポール、タイで6割を占めるなど、上位国のほとんどが近隣諸国ですし（27～28ページ参照）、外国直接投資（累計、認可ベース）では中国、タイで6割近くと圧倒的な存在感を示しています（89ページ参照）。

表2.1　分野別GDP

(単位：100万チャット)

年	1999		2009		2009/1999
農業	1,312,285	59.9	12,888,806	38.2	982.2
商業	524,403	23.9	6,890,046	20.4	1,313.9
製造業	143,244	6.5	6,135,357	18.2	4,283.2
運輸・通信業	105,669	4.8	4,567,731	13.5	4,322.7
建設業	40,425	1.8	1,518,309	4.5	3,755.9
行政	16,505	0.8	548,674	1.6	3,324.3
鉱業	10,842	0.5	328,488	1.0	3,029.8
電気・ガス・水道業	2,558	0.1	251,102	0.7	9,816.3
金融業	2,215	0.1	22,575	0.1	1,019.2
その他	32,174	1.5	609,840	1.8	1,895.4
国内総生産	2,190,320	100.0	33,760,928	100.0	1,541.4

出所：日本アセアンセンター「ASEAN-日本統計集」から作成

表2.2　ASEAN後進国の名目GDP比較

(単位：100万米ドル)

年	1990	1995	2000	2005	2008	2009	2010
ミャンマー	2,788	5,487	8,905	11,987	31,367	35,226	45,428
ラオス	872	1,791	1,735	2,866	5,312	5,598	6,461
カンボジア	899	3,419	3,653	6,286	11,277	10,871	11,629
ベトナム	6,472	20,798	31,176	52,931	90,302	93,169	103,574

出所：同上

表2.3　ASEAN後進国の1人当たりGDP比較

(単位：米ドル)

年	1990	1995	2000	2005	2008	2009	2010
ミャンマー	68.36	122.63	177.64	219.94	533.45	587.28	742.44
ラオス	217.47	390.85	303.47	488.69	856.18	885.71	1,003.71
カンボジア	105.97	297.27	288.13	459.59	805.08	768.37	813.80
ベトナム	98.03	288.87	401.57	637.54	1,047.87	1,068.32	1,173.55

出所：同上

また、近年は企業再編の動きが出てきています。ミャンマーでは、1988年にビルマ式社会主義から市場経済の導入を図り、国有企業の民政化を促進してきました。しかし、その速度は遅々としたものであり、国有企業数は2010年現在、約600社（その多くは、エネルギーや電力、建設、通信、金融といったインフラを中心とした分野）となっています。しかし、テインセイン大統領は、国有事業部門の縮小および民営化の促進に積極的に取り組む姿勢を見せており、今後の健全な国家財政の構築に意欲を示しています。また、民営化が促進される中、特徴的なこととして、財界や経済界の有力者とつながる財閥グループ（表2.6）の存在感が高まってきていることが挙げられます。
　一方、運輸、商業といった注目度の高い分野は民間企業が担っています。製造業の場合、企業数は4万3,000社余りとなっており、その65％以上は食品・飲料分野の企業です。活力のある民間企業の台頭が、今後のミャンマー経済を支えることになるのかも知れません。

表2.4　産業別国内生産の所得形態別構成比（2007年）

	国　有	協同組合	民　間
農業	0.4	2.4	97.2
畜産・漁業	0.1	0.7	99.2
林業	50.0	0.3	49.7
エネルギー	76.3	9.3	14.4
鉱業	2.9	0.2	96.9
製造業	9.2	0.2	90.6
電力	79.5	0.3	20.2
建設	60.1	0.0	39.9
運輸	1.5	0.1	98.4
通信	100.0	0.0	0.0
金融	68.9	3.8	27.3
商業	5.0	2.4	92.7

出所：工藤年博「ミャンマーの軍政下の工業発展」2012より抜粋

表2.5 ミャンマーの民間企業（製造業）

	業　種	規　模				比率(%)
		大企業	中企業	小企業	合計	
1	食品・飲料	1,867	3,931	23,053	28,851	65.89
2	建設資材	446	499	2,117	3,062	7.00
3	衣料	275	370	1,256	1,901	4.34
4	石油製品	174	310	1,200	1,684	3.85
5	日用品	267	299	452	1,018	2.32
6	家庭用品	113	69	125	307	0.70
7	印刷・出版	18	69	190	277	0.63
8	工業用原材料	92	254	407	753	1.72
9	農業機械	13	27	45	85	0.19
10	一般機械	12	82	170	264	0.60
11	輸送機械	139	12	78	229	0.52
12	電気機械	29	10	21	60	0.14
13	その他	165	809	4,324	5,298	12.10
	総計	3,610	6,741	33,438	43,789	100.00

〈参考〉

規模	従業員(人)	動力(馬力)	資本金(チャット)	生産額(チャット)
小企業	50未満	25	100万未満	250万未満
中企業	50～100	25～50	100万～500万	250万～1,000万
大企業	100以上	50以上	500万以上	1,000万以上

出所：ミャンマー産業開発作業委員会資料（2009年9月29日付け）

表2.6 ミャンマーの主要財閥グループ

グループ名	ビジネス分野
Htoo Trading	製材、林業、航空、観光、不動産、建設、通信、武器輸入、農業、石油輸入販売、銀行
Asia World	インフラ建設（道路、空港、港湾）、港湾運営、陸運、通信、不動産、ホテル、食用油
Kanbawza	銀行(36支店)、宝石、タバコ、食用油、航空
SPA (FMI)	銀行、不動産開発、製造業、建設、自動車、病院、農業、ゴルフ場
Yuzana	建設、水産業、住宅団地、農業、ホテル、観光、商業
Zaykabar	大規模ディベロッパー（工業団地、ゴルフ場、高級マンション、リゾートホテル、住宅団地）、タバコ
Max Myanmar	建設（道路、鉄道）、リゾートホテル、重機輸出入、パーム・ゴム栽培、飲料、宝石、セメント
Eden Group	公共施設（大学、官庁）建設、地方でのホテル、リゾート開発、大規模精米
Shwe Thanlwin	自動車・重機の輸入、パーム油輸入、セメント、タイヤ、農業、衛星TV放送
Ruby Dragon	宝石、ワイナリー、セメント
Ayer Shwe Wah	建設、パーム栽培、肥料・農産物輸出入、新田開発

出所：各種資料を基に荒木義宏氏（JETRO）が作成された資料から抜粋

一方、現在ミャンマーでは、ミャンマー初の中小企業対策に注力しようとしています。2013年1月には大統領府に中小企業開発のための中央委員会（委員長は大統領が兼任）が設置された他、工業省および協同組合省にも中小企業育成を担当する部署があります。

　協同組合省の小規模産業局（Small-Scale Industries Dept.）では、傘下に漆器、織物などの訓練学校を設置するなどして産業育成に努めています。また、研究開発部門では、天然果物ジュース・ジャム、果物の保存、化粧品、石鹸生産などについての訓練コースを指導しています。

表2.7　地域別の小企業数（2011年11月30日現在）

州・地域名	企業数	州・地域名	企業数
カチン州	232	マンダレー地域	2,719
カヤ州	75	マグウェー地域	330
カイン州	149	モン州	676
チン州	3	ラカイン州	56
ザガイン地域	538	ヤンゴン地域	6,109
タニンダーイ地域	88	シャン州	251
バゴー地域	674	エーヤワディ地域	616
		合計	12,516

分野別	企業数
製造	4,682
サービス	362
手工品	7,472
合計	12,516

出所：ミャンマー協同組合省の資料より抜粋

2-2 ミャンマーの産業構造

潜在能力の高い農林水産物と鉱物資源
外資導入で、今後の工業発展に期待大

農林水産業分野

　メインとなる農産品の生産としては、主食であるコメが3,216万トン、サトウキビ（砂糖生産用、956万トン）、ピーナッツ（134万トン）、トウモロコシ（122万トン）、タマネギ（109万トン）、ゴマ（79万トン）などがあります。

表2.8　ミャンマーの主要農産品の生産量推移

（単位：1,000トン）

年	1990～91	2000～01	2005～06	2009～10
コメ（籾）	13,748	20,987	27,246	32,166
小麦	122	92	156	179
トウモロコシ	184	359	904	1,226
キビ	124	166	209	210
ピーナッツ（雨期）	197	242	379	513
ピーナッツ（冬季）	268	478	644	827
ゴマ（早蒔き）	148	287	285	522
ゴマ（遅蒔き）	64	89	153	268
ケツルアズキ	99	523	1,005	1,485
緑豆	62	511	930	1,315
大角豆	28	100	154	211
キマメ	42	315	600	761
ひよこ豆	102	117	260	434
大豆	25	109	186	254
タマネギ	171	584	999	1,092
サトウキビ（砂糖生産用）	1,931	5,801	7,073	9,562
じゃがいも	134	314	471	554
綿花（長線維）	18	123	202	477
ゴム	14	35	63	110
ココナッツ	87,499	288,519	455,177	417,171
蜂蜜	149,962	456,866	968,000	3,648,000

出所：ミャンマー中央統計局
注：ココナッツの単位は1,000個、蜂蜜の単位はポンド

一方で、特色として豆類の生産が盛んであることが挙げられます。例えば、ケツルアズキ（148万トン）、緑豆（131万トン）、キマメ（76万トン）、ひよこ豆（43万トン）、大豆（25万トン）、大角豆（21万トン）などがあり、豆類の輸出量ではカナダに次いで世界第2位と言われています。

　ミャンマーでは、これまで十分な農業開発が実施されてこなかったことが幸いし、原種が数多く現存していること、そして化学肥料の大量投入が避けられてきたことから有機農法を受け入れる素地ができていることなどは、今後、農業分野への外国投資を考える上で大きな魅力と言えるかも知れません。

　畜産品も年々生産が増加していますが、今後更なる需要拡大が見込まれており、生産技術の向上が望まれています。

　ミャンマーの林業は、今後更なる発展の可能性を秘めている分野です。最も有名なのはチーク材ですが、その他にもシタンなど硬材が生産されており、

表2.9　ミャンマーの主要畜産品の生産量推移

（単位：1,000ベイッター）

年	1990～91	2000～01	2005～06	2009～10
牛肉	28,771	44,079	79,553	128,337
豚肉	23,536	73,517	203,153	327,477
鶏肉	41,356	132,809	345,731	565,327
鶏卵（単位：1,000個）	727,751	2,500,684	3,962,561	6,613,051
生乳	316,371	452,597	601,684	897,240

出所：ミャンマー中央統計局
注：1ベイッター＝約1.6kg、1匁＝約3.75g

表2.10　ミャンマーの主要水産品の漁獲量推移

（単位：1,000ベイッター）

年	1990～91	2000～01	2005～06	2009～10
淡水漁業	88,971	215,054	738,141	1,139,048
海洋漁業	360,079	570,441	841,910	1,261,196
真珠生産（単位：匁）	5,544	5,990	177,692	229,951

出所：ミャンマー中央統計局
注：1ベイッター＝約1.6kg、1匁＝約3.75g

薪、炭、樹脂、竹、ラタン、ランなどの生産も行われています。

　水産業では西にインド洋、アンダマン海があり海洋漁業が盛んですが、一方でエビや魚類などの養殖も総漁獲量の2割を占めるなど、淡水漁業も有力な産業となっています。

鉱工業分野

　ミャンマーの工業生産はまだ脆弱ですが、一方で鉱物資源の開発は工業分野の発展に大きく寄与しています。翡翠や各種の宝石類（ルビー、サファイア、スピネル、ペリドットなど）、スズ、タングステン、スズ・タングステン・重石混合物など金属や鉱石の生産は、外国の資本・技術の導入を受けながら今後も順次開発されることが期待されています。

表2.11　ミャンマーの主要鉱物資源の生産量推移

〈希少鉱物〉

製品名	単位	1990～91	2000～01	2005～06	2009～10
翡翠	1,000kg	239	11,096	20,005	25,796
宝石類	1,000カラット	294	48,676	29,326	11,316
銀（精製済み）	トロイ1,000オンス	123	65	40	1
金（精製済み）	トロイオンス	—	3,619	3,151	10,981

〈金属・鉱石〉

製品名	単位	1990～91	2000～01	2005～06	2009～10
銅マット	トン	108	125	34	—
ニッケルスパイス	トン	98	60	47	—
硬鉛	トン	110	117	—	—
軟鉛	トン	1,562	1,200	576	—
亜鉛精鉱	トン	3,820	1,960	280	20
スズ精鉱	トン	272	731	737	730
タングステン精鉱	トン	13	1	7	10
スズ・タングステン・重石混合物	トン	1,155	886	921	657
スズ・タングステン混合物	トン	152	231	91	200
スズ・タングステン・重石混合物	トン	1,003	655	830	457
銅精鉱	トン	130,033	—	—	—

〈鉱物燃料〉

製品名	単位	年	1990〜91	2000〜01	2005〜06	2009〜10
石炭	トン		32,774	146,583	201,830	234,983

〈工業用鉱物原料〉

製品名	単位	年	1990〜91	2000〜01	2005〜06	2009〜10
重晶石	トン		10,133	32,333	2,205	7,120
石灰岩	トン		42,892	39,925	20,093	10,956
耐火粘度	トン		1,744	240	30	―
ベンナイト	トン		398	978	602	830
石膏	トン		30,195	50,108	69,835	85,872
ドロマイト	トン		3,450	301	4,400	4,500
ボールクレー	トン		200	―	―	―
耐火粘度粉末	トン		191	91	97	―
黄土	トン		200	―	―	―

出所：ミャンマー中央統計局

　工業品の生産では天然ガス（4,396億立方フィート）が最も代表的なものですが、他にも**表2.12**のとおり、各種の食品、繊維製品、建材、日用品、油類などが生産されています。今後の外資導入次第では、より品質の高い製品の製造が期待されるところです。

ミャンマーの若手経営者が手掛けるNIBBAN社の製品。
テレビ、オーディオ、冷蔵庫、洗濯機など自社ブランドで製造

表2-12 ミャンマーの主要工業品の生産量推移

製品名	単位	1990~91	2000~01	2005~06	2009~10
砂糖	トン	19,153	92,936	38,116	20,298
糖蜜	トン	10,437	43,365	19,966	10,294
未精製塩	1,000トン	259	231	172	409
精製塩	1,000トン	125	201	276	250
ビスケット	トン	8,464	1,320	989	133
麺類	1,000ポンド	47,386	489	1,813	2,298
コーヒー	1,000ポンド	79	121	84	89
茶	1,000ポンド	1,471	1,851	1,729	1,883
コンデンスミルク	1,000ポンド	36,159	3,621	2,560	7,613
エビペースト	1,000ベイツー	53,272	624	632	644
ソフトドリンク	1,000ダース	2,207	9,306	15,708	9,485
ビール	1,000ガロン	494	1,212	1,637	972
アルコール	1,000ガロン	2,386	5,332	1,471	838
精製済み飲料水	ℓ	153,900	2,210,861	4,732,287	3,723,116
紙巻タバコ	100万本	1,059	2,521	2,822	-
綿布	1,000ヤード	38,101	25,561	17,702	19,949
うち、ポプリン		2,250	4,693	6,433	12,924
カーテン		61	12	5	22
綿シャツ地		14,802	16,649	8,082	4,497
蚊帳		1,060	4,197	3,082	2,506
綿糸	1,000ポンド	20,860	13,401	9,112	15,140
木綿糸	1,000ダース	492	659	5,793	
ベスト	1,000枚	1,745	1,118	1,445	2,017
タオル	1,000枚	1,295	1,593	3,014	2,821
ブランケット	1,000枚	613	178	112	221
ジュート袋	1,000枚	19,667	13,707	1,947	1,589
ジュート布	1,000ヤード	1,950	33	36	35
ジュート糸	1,000ポンド	1,018	20	1,201	817
シャツ・既製服	1,000枚	2,256	1,619	1,212	1,844
歯磨き粉	1,000ダース	218	142	65	51
化粧石鹸	トン	724	3,013	2,912	867
傘	本	-	475,000	642,979	84,490
製薬(固体)	1,000kg	228	103	286	272
製薬(液体)	1,000ℓ	267	454	396	354
軟膏および同類調合剤	1,000kg	65	49	58	67
錠剤	100万錠	499	1,150	1,244	955
グラス	1,000個	30.27	15.5	67.44	-
瓶	1,000本	15,828	10,386	8,376	5,889
洗濯石鹸	トン	16,601	44,296	66,775	66,526
粉洗剤	トン	669	2,143	1,911	448
液状洗剤	ガロン	10,000	75,600	120,900	90,000
自動車用バッテリー	1,000台	28	10	31	17

製品名	単位	1990~91	2000~01	2005~06	2009~10
乾電池	1,000個	7,039	4,750	11,000	-
P.V.Cケーブル	巻	43,769	39,028	41,349	30,090
電気部品	100万個	289	152	128	-
照明器具	台	37,400	18,600	10,600	-
蛍光灯	1,000本	210	495	992	-
白熱電球	1,000個	1,259	656	90	-
電気モータ	台	410	374	-	-
ホットプレート	台	4,000	2,364	5,600	-
炊飯器	台	977	3,955	5,300	-
電気変圧器	台	43	185	100	136
セメント	トン	402,037	418,923	547,068	637,264
レンガ	1,000個	61,219	66,575	72,325	47,317
バー、ロッドなど	100万トン	5,413	3,936	5,064	3,207
ガラス	トン	10,528	10,236	5,863	10,602
タイル(8"×8")	1,000個	-	5,626	7,021	5,288
ペンキ	1,000ガロン	328	198	234	295
ポンプセット	セット	1,905	2,405	7,980	11,354
自転車	台	6,372	2,050	34,872	54,038
タイヤ・チューブ	本	171,134	137,412	90,620	138,571
軽量農業機械	台	124	1,612	11,124	11,014
軽量車両	台	380	720	445	1,695
重量車両	台	203	128	283	210
トラクター	台	255	775	390	125
トレーラー	台	9	452	5,366	5,197
原油	1,000バレル(US)	5,312	4,137	7,964	6,965
天然ガス	100万立方フィート	33,647	183,421	437,729	439,615
うち、パイプラインズ		33,628	183,353	436,289	432,951
圧縮天然ガス		19	68	1,440	6,664
ガソリン	1,000ガロン	41,567	80,597	106,683	112,615
ディーゼル油	1,000ガロン	84,616	112,595	54,078	32,843
LPG	1,000ガロン	3,007	6,119	3,962	3,200
ファーネス油	1,000ガロン	28,664	33,738	13,440	14,244
航空タービン	1,000ガロン	8,204	17,910	15,259	9,945
灯油	1,000ガロン	602	186	409	324
石油コークス	トン	35,990	32,951	19,515	17,563
紙	トン	10,354	17,928	19,011	13,320
プラスチック板	1,000ヤード	1,024	1,862	977	1,016
卓上食器類	1,000個	3,060	3,542	3,780	3,121
衛生陶器	1,000個	17	15	244	22
花瓶	個	1,144	1,044	398	-
肥料(尿素)	1,000トン	133	160	100	70

出所:ミャンマー中央統計局

2-3 貿易投資構造

> 既に、ミャンマー周辺国で事業展開している企業は、
> その延長線上で委託加工を考えやすい

　ミャンマーでのビジネスを考える場合、まずは委託加工からと考える方も多いのではないでしょうか。
　しかし、製造業の場合、ミャンマー国内の工業が未発達であることから日本企業が求めるレベルの原材料の調達は困難であり、その多くを近隣諸国から輸入しなければならないのが現実です。それを考えると、既にタイや中国など、ミャンマー周辺国で事業を行っている企業の場合は、その延長上でミャンマーを捉えると、ビジネス展開しやすいかも知れません。縫製業など、現地の安価な労働力を活用したい分野もまだ可能性を残しています。
　一方、農水産物加工の場合は一部で原料の国内調達が可能であり、果物の缶詰やジュース・ドライ化、コメや豆、ゴマなどの加工、各種ハーブを利用した製品化、エビや魚の加工など、現状では展開しやすい分野と言えるかも知れません。豊富な木材を利用した家具などの製造も考えられます。
　いずれの場合でも注意すべきことは、パートナーとなるミャンマー企業の多くは国際的なビジネス経験が不足しているということ、そして生産設備なども新たに導入しなければいけない可能性が高いということです。委託加工先企業を選定する場合は慎重に、またその後の技術・ビジネス指導においては丁寧な人材教育が求められていることはいうまでもありません。

2-4 輸出入品目、対象国

近隣諸国を相手国に、天然資源を輸出し、工業製品を輸入

　ミャンマーの貿易額はこの10年間、常に貿易黒字の傾向にあります。2011〜2012年は輸出が91億3,560万米ドル、輸入が90億3,510万米ドルを記録しました。2011〜2012年において1億米ドル以上を記録した輸出入品目および輸出入相手国は**図2.1**、**図2.2**のとおりです。

　輸出品目では、ガスが35億米ドルと圧倒的に多く、その他では衣類や農水産品がメインとなっています。輸出相手国では、隣国のタイが38.2億ドルでトップであり、2位の中国（22.1億米ドル）、3位のインド（10.5億米ドル）を合わせると全体の70％に上ります。日本への輸出は3.2億米ドルですが、これは主に履物類、縫製品、農水産品などです。

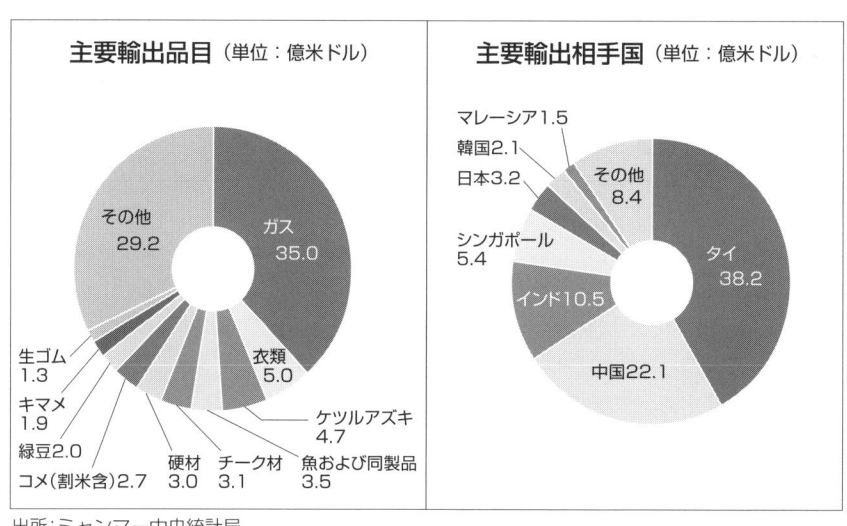

主要輸出品目（単位：億米ドル）

- ガス 35.0
- その他 29.2
- 衣類 5.0
- ケツルアズキ 4.7
- 魚および同製品 3.5
- チーク材 3.1
- 硬材 3.0
- コメ（割米含）2.7
- 緑豆 2.0
- キマメ 1.9
- 生ゴム 1.3

主要輸出相手国（単位：億米ドル）

- タイ 38.2
- 中国 22.1
- インド 10.5
- シンガポール 5.4
- 日本 3.2
- 韓国 2.1
- マレーシア 1.5
- その他 8.4

出所：ミャンマー中央統計局

図 2.1　1億米ドル以上の輸出品目と輸出相手国

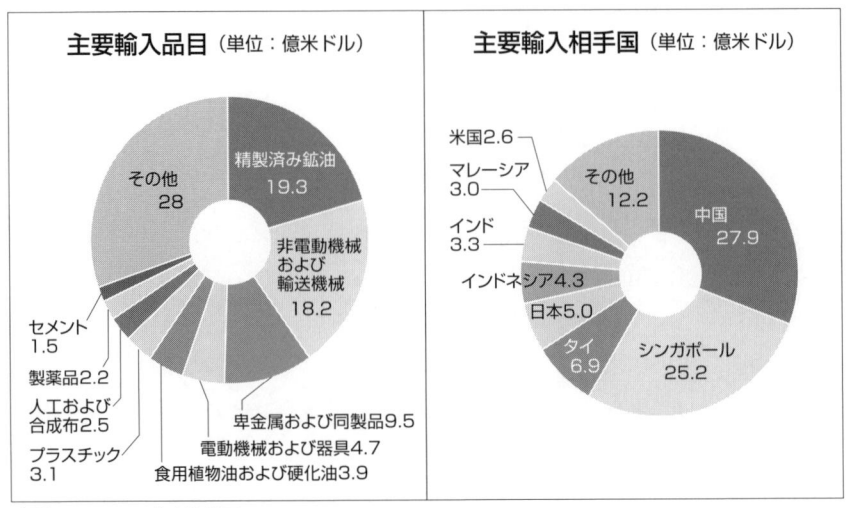

主要輸入品目（単位：億米ドル）

- 精製済み鉱油 19.3
- 非電動機械および輸送機械 18.2
- 卑金属および同製品 9.5
- 電動機械および器具 4.7
- 食用植物油および硬化油 3.9
- プラスチック 3.1
- 人工および合成布 2.5
- 製薬品 2.2
- セメント 1.5
- その他 28

主要輸入相手国（単位：億米ドル）

- 中国 27.9
- シンガポール 25.2
- タイ 6.9
- 日本 5.0
- インドネシア 4.3
- インド 3.3
- マレーシア 3.0
- 米国 2.6
- その他 12.2

出所：ミャンマー中央統計局

図 2.2　1 億米ドル以上の輸入品目と輸入相手国

　一方、輸入品目では、精製済み鉱油（石油関連）、機械、卑金属など工業製品が目立っています。相手国では、中国がトップの27.9億米ドルで、次いでシンガポール（25.2億米ドル）、タイ（6.9億米ドル）の順となっており、日本がそれに次ぐ第4位で5億米ドルを輸入しています。日本からの輸入は、主に機械・機器類です。

　輸出入全体で見ると、対中国が50億米ドル、対タイが45億米ドルとなっており、この2カ国が圧倒的なシェアを有していることが、ミャンマー貿易の大きな特徴と言えるでしょう。

　また、貿易を考える際、忘れてはならないのが関税の免除および税率の低減についてです。

　ミャンマーはASEANに加盟していることから、AFTA（ASEAN自由貿易地域）の合意により、域内での輸入については2015年までに関税率を0〜5％まで引き下げることになっています。

ミャンマー産品の日本への輸入については、農水産物を含め特恵関税制度が適用されます。特恵関税制制度とは、輸入の優遇措置であり、開発途上国の輸出所得の増大、工業化と経済発展の促進を図るため、開発途上国から輸入される一定の農水産品、鉱工業産品に対して一般の関税率よりも低い税率（特恵税率）を適用する制度です。

　また、2007年に開催された、日ASEAN首脳会議において「日ASEAN包括的経済連携（AJCEP）協定」が締結されたことを受け、日本は90％の品目の関税を同協定発効後に即時撤廃、5年以内に2％、10年以内に1％撤廃することになっています。一方、ミャンマーでは2011年度から関税削減を開始し、85％を18年以内に撤廃していく方針です。

　いずれにしても、具体的な適用については、発効日、品目、税率をよく確認する必要があります。

2-5 市場の鍵を握る国境貿易

経済制裁解除で国境貿易は減少傾向。
だが、中国、タイとの国境は陸路の利便性が高い

ミャンマーの国境貿易にも経済制裁解除の影響大

　ミャンマーはバングラデシュ、インド、中国、ラオス、タイという6カ国と国境を接しています。そのため、全貿易の半分以上が国境貿易ですが、2011年に民政移管されてからは、その比重が急速に低下しているようです。ミャンマーの国境貿易額が大きいのは中国とタイですが、本節では中国とミャンマー国境の現状について紹介します。

　軍事政権時代、ミャンマー各地で訪問した工場で、導入している機械や原料はいったいどこから「輸入」していますかと聞くと、「ムセからです」という答えが圧倒的に多いものでした。中国雲南省との国境を接するムセ（Muse）はミャンマーのシャン州北部にあり、ミャンマー最北部でカチン独立軍（KIA）とミャンマー政府軍との戦闘が続くカチン州に接しています。ムセはヤンゴンから1,200km離れており、バスで行く場合は夕刻にヤンゴンを出発し、途中マンダレーで乗り換えて翌日の夜には到着できます。

　ムセは軍事政権下の2006年から「貿易特区」に指定されていますが、中国人以外の外国人には立入制限があり、訪問するにはミャンマーのホテル観光省から許可書を得る必要があります。ムセの中国側は雲南省瑞麗（ルイリー）で、上海から杭州、昆明を通って中国を横断する国道320号の終点に当たります。

　ムセは、大型トレーラー、トラックだけでも日に3,000台が往来するミャンマー最大の国境貿易ゲートでしたが、国際トラックの便数は2012年に入って半減しました。これは欧米の経済制裁解除に対応し、ミャンマー政府が軍事政権下で事実上禁止してきた貿易を自由化したことによります。ヤンゴン周辺の港などを使う正規ルートでの貿易が解禁されたため、わざわざ遠いムセを通過

する意味がなくなったのです。事実上禁止されてきた中古車や新車の輸入も、近年、ヤンゴン周辺の国際港を使っての正規ルートでの貿易が解禁され、国境を通過して陸路で輸入する必要が減少したようです。

ミャンマーのトラックは中国のチェンカンまで、雲南省のトラックは「105マイル」という名のムセ郊外にある検問所までそれぞれの国のナンバーのまま行くことができます。小型のバンや手押しリヤカーなど両国の商品を満載して通過する国境貿易ゲートは、ミャンマー経済の好転から更に忙しくなっています。国境では両国の荷物の往来を間近に見ることができますが、ミャンマー人と中国人が自由に行き来しており、リヤカーでの国境貿易では、ほとんどが中国からミャンマー側への輸出であり、荷物はほとんどチェックされていません。

輸送インフラが欠如しているミャンマーでは、国境貿易で陸続きの中国にゴマ、豆類などの農作物も輸出しています。ミャンマー産マツタケ（松茸）の場合、ムセを経由して中国に輸出されていますが、中国人はマツタケをあまり食べないため、中国を横断し中国産として日本市場に出回っている可能性があるのかも知れません。

賑わうムセにある3カ所の「中国国境」

ムセの中国側国境である雲南省の瑞麗は、上海から杭州、昆明を通って中国を横断する国道320号の終点です。ムセでは3つの国境ゲートに分けており、各ゲートは数百mほど離れて、それぞれ立派なゲートを構えて賑わっています。1つは人だけが往来する国境で、ミャンマー人は1,000チャット（約100円）を支払って、中国雲南省内の限られた地域に1週間以内の期間で訪問することができます。大型トレーラー、トラックだけが通行できるゲートは、ミャンマー政府が貿易を開放した影響から、タイとミャンマー国境のミヤワディと同様に交通量が減少しています。小型のバンやトラック、手押しのリヤカーなどが通過するゲートでは、両国の商品を満載して国境ゲートを往来している様子がすぐ眼の前で展開されています。

雲南省とミャンマーの間には比較的大きなゲートだけで10カ所以上ありますが（ムセについては3ゲートありますが、それを1つの国境として計算）、ミャンマー政府が掌握しているのは2013年現在でもムセとチューゴウ（Kyu Kok）の2か所だけであり、他の国境ゲートはコーカン軍、カチン独立軍、東シャン州軍、ワ州連合軍（UWSA）などが支配しています。ムセから車で西へ1時間弱のナムカン（Namhkan）はコーカン軍が掌握する国境ゲートで、かつてはムセより大きな町でしたが、その後ムセがこの辺りでは最大の町になりました。

　ムセで中国に入るトレーラーの中には、タイのメーソットからミャンマーのミヤワディに入り、そこからミャンマーを縦断してきた日用品など、反対にタイに送る荷物もこの国境を通過しているようで、タイと中国雲南省市場がつながっています。ミャンマーからはコメや農作物、翡翠や宝石の原石などが輸出され、中国からはミャンマーで使われる機械から電気製品などあらゆる工業製品、工業材料、部品、食品原料、加工食品などが輸出されていますが、近年ではパイプラインで使われるパイプが多く、パイプの輸送については、ムセ・ラショー間の道路拡張工事を手掛けるミャンマーのアジア・ワールドという財閥グループが行っています。

乗用車、リヤカーなど専用の国境ゲート

【第3章】
CHAPTER.3

ミャンマーでビジネスを始めるために

3-1 ビジネスの糸口

急速に変貌する国内市場
視察国が急増、機運は加熱気味

中古車市場の現状

　ヤンゴンは訪問するたびに様相を変えています。あまりにも速いスピードの変化で、ミャンマー人は平気なのかといささか心配にもなります。が、ついにここまで来たかという緊迫感もあります。最大都市ヤンゴンの主要な交通手段は車であり、走っている車のほとんどは日本製の中古車です。「日本の中古車は壊れなくて長持ちする」と言われると、日本人にとっては変な自尊心を煽られるものです。実際、日本の技術は素晴らしいという憧れの一因が、日本製の中古車から始まったと言ってもいいでしょう。

　ミャンマー人は、車は財産であると考えていました。2011年までは、中古車の輸入は特権階級の独占でした。大まかに考えると、中古車は1台500万円していました。日本で50万円の車が税金など200万円、業者取扱い手数料200万円、運送費など50万円で、市場価格500万円となります。しかし、2007年製以降の車に対して輸入の自由化が実施され、それまで月の輸入台数100台が2012年8月には1万台になりました。車の値段が下がるのに時間は掛かりません。市場原理が働くからです。

　ミャンマー人輸入業者Tさんは88台（当時の購入金額からすると数千万円）の在庫を抱えていました。2011年12月に会ったときに、見切って処分した方がよいと忠告しましたが「いつか上がる、大丈夫」と答えていました。車ビジネスは、2012年初旬までは魅力あるビジネスでしたが、現在はリスキーなビジネスとなりました。

　日本の中堅企業オーナーIさんは、長年ミャンマービジネスに携わって来ました。今まで投資するだけでほとんど利益を上げて来なかったのですが、中古

車ビジネスのために現地事務所立ち上げ、邦人駐在員を派遣しました。Iさんの考えは「中古車市場が国際価格になるのは、市場原理が働くから当然だ。今後はレンタカービジネスを進める。2007年製造以降の車はコンピュータ搭載の部品が多いから、部品を現地に送り修理工場を始める」というものです。

ミャンマーでビジネスを始めるチャンスは現在数多くあり、中国の市場経済導入初期のような活況を呈しています。現在でも、日本人とみると車はないかと聞かれます。しかし、中古車を販売・輸出することで利益を上げる時期は過ぎ、これから車を組み立てる、車を修理するビジネスが有力になって来ました。

日本の中古車業界は、2012年12月に派遣したミッションの結果について、次のようにコメントしています。「ミャンマー（旧ビルマ）は30年以上前から自動車の輸出取引が行われていたが、特殊なマーケットとして存在していた。ミャンマーは軍政の輸入枠の絞り込みにより、カローラが小売価格で1,000万円、ランドクルーザーが3,500万円したように、世界一中古車が高い国であっ

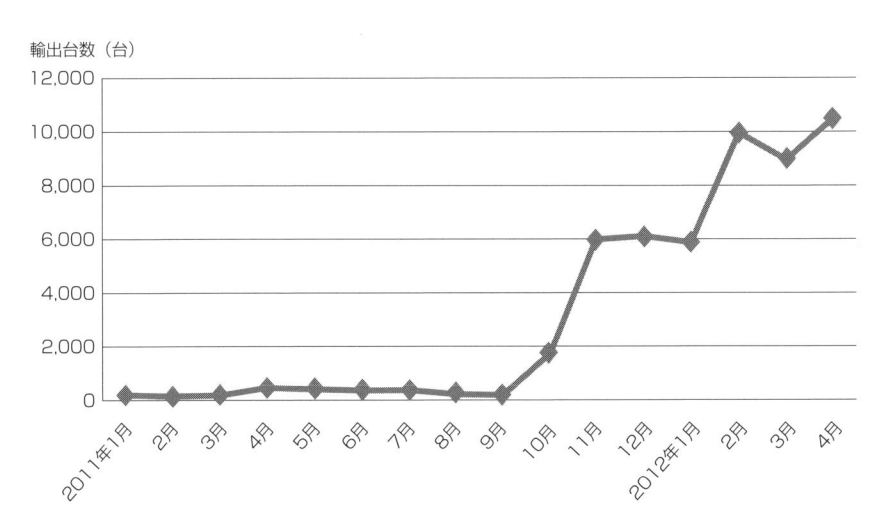

出所：World Trade atlas 検索を基に著者が作成

図3.1　日本からミャンマーへの乗用車・トラック・バスの輸出台数

た。最近では制度も変わり、輸入の権利を買うこともでき、中古車の販売方法も変わって来た。現在、販売方法は3通りある。1つ目は、権利を買って中古車ヤードを開く。2つ目は、インターネットオークション。日本のオークション会場にネットを接続し、お客から注文を受け車両代をもらう。3つ目は、自分のリスクで車を仕入れ、路上で車を販売するというもの。ミャンマーは今後、どうなるかわからない。政権・政策次第で全く違ったマーケットになる」。

ミャンマー視察団急増

　ミャンマーで事業を始めるには2つの方法があります。①駐在員事務所を立ち上げて情報の収集、②新投資法に基づく現地法人の設立の2つです。現時点では、慎重に情報の収集から始めることが肝心です。

　JETROヤンゴンの高原所長によりますと、2010年にミャンマーを訪れた日本人は9,000人程度でしたが、2012年度は7月だけで4,000人を超えたとのことです。2012年は日本商工会議所などが視察団を派遣しましたが、2013年2月には経団連が視察団を派遣など、連日のように地方商工会議所、自治体などがヤンゴンを訪れています。JETROのヤンゴン事務所や日本大使館などはその対応に追われています。

　問題は、オフィス物件が増えない中でニーズが高まったため賃料が高騰していることで、JETRO事務所の入っているセドナホテルの場合、事務所費は2012年3月末まで1m²当たり15米ドルだったものが、同年4月契約更新時には35米ドルと倍以上にはね上がったとのことです。

　ミャンマービジネスは過熱している今がベストのタイミングなのか、少し様子を見るのかが考えどころです。

3-2 ミャンマーの商慣行

食品など品質管理に課題
急がれるビジネス環境整備

海外送金

国際貿易実務は次のとおりです。
引合（Inquiry）→提示（Offer）→受託（Acceptance）→契約（Contract）→運送（Shipment）→決済（Payment）

　法律上、外国企業は輸出入業務ができません。世界的に最も広く使われるインコタームズ（Incoterms）、銀行間による信用供与により取引をすることがミャンマーの銀行とはできないからです。また、ミャンマーの銀行と邦銀の間でL/Cは開けませんでした。米欧による経済制裁によりドル送金が制限されていたためです。ミャンマーの輸出業者は、ヤンゴン港から船荷した船荷証券（B/L）を日本の輸入業者に送付し、送金は輸出業者のシンガポール銀行などの口座に振り込むことになります。

　三井住友銀行は、ヤンゴンに外国銀行では初めてとなる営業拠点となる出張所を開設したと発表しました。提携先であるミャンマー民間最大手のカンボーザ銀行に顧客企業を紹介し、企業はカンボーザ銀行に口座を開くことで、国際取引で一般的な米ドルの送金が円滑にできるようになると報じられました。

　セブン銀行は2013年2月1日から、海外送金サービスの受取国にミャンマーを追加しました。日本国内に1万7,000台以上設置されているセブン銀行のATM（現金自動預払機）などから送金できるようにしたのです。受け取りはミャンマーにある155カ所のウエスタンユニオン提携拠点で、現地通貨チャットでできることとなりました。セブン銀行による海外送金サービスの利用には、同行での口座開設と海外送金サービス契約の申し込みが必要となります。

最貧国特権

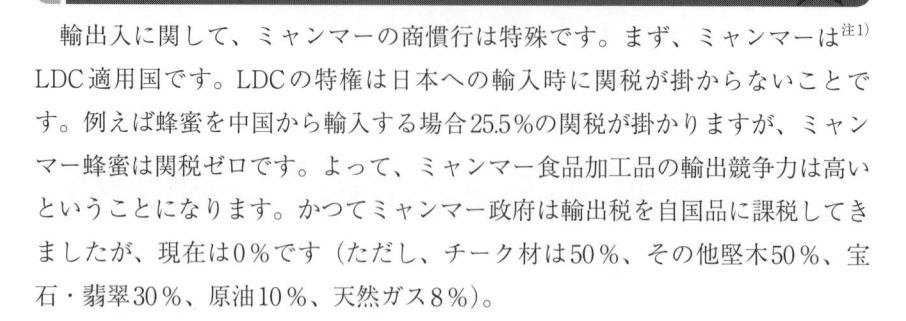

輸出入に関して、ミャンマーの商慣行は特殊です。まず、ミャンマーは[注1]LDC適用国です。LDCの特権は日本への輸入時に関税が掛からないことです。例えば蜂蜜を中国から輸入する場合25.5％の関税が掛かりますが、ミャンマー蜂蜜は関税ゼロです。よって、ミャンマー食品加工品の輸出競争力は高いということになります。かつてミャンマー政府は輸出税を自国品に課税してきましたが、現在は0％です（ただし、チーク材は50％、その他堅木50％、宝石・翡翠30％、原油10％、天然ガス8％）。

できないと言えないミャンマー人

ミャンマー人の特性として、「出来ますか」と問うとミャンマーのビジネスパーソンは「出来ます」と必ず答えます。ミャンマーの商慣行では、「出来ない」という返事はないのです。そのため、ビジネスの相手と付き合いながら信頼関係を構築し、その人の性格を把握することが大切です。ミャンマーのビジネスパーソンは嘘を言うことはしませんが、ノーと言えない人たちなのです。多くのミャンマー人はネーピードー（首都）の某大臣の家族と親しい、友達がいるといって自分の立場を強調します。

品質管理に難あり

商品の輸入に際して、先行サンプル（出荷する製品のサンプル）と輸出製品が異なり、大きな損害が出ることがあります。ミャンマーサイドに品質に関する意識や食品であるという認識が欠けている場合です。ミャンマーは農業大

注1）「後発開発途上国 Least developed countryとは、国際連合が定めた世界の国の社会的・経済的な分類の1つで、開発途上国の中でも特に開発が遅れている国々のことである。略語としてLDCと表記される。」

国、食品加工輸出大国になろうとしていますが、そのためには国際基準の品質管理が必要です。最先端の設備を有する企業は例外と考えるべきでしょう。

ビジネス環境の未整備

　日本の製造業の場合、ミャンマー進出への期待は大きいのですが、同時にリスクもあることを知っておく必要があります。

　日本からのミャンマー視察のミッションに対し、ミャンマー側の期待は大きいのですが、ミッション参加企業の多くは、事務所費の高騰や工業団地の確保が難しいことから進出を躊躇する企業が多いのも事実です。ミャンマー側はNATO（No Action Talk Only）と揶揄してきました。最近では「4L」（Look（見る）、Listen（聴く）、Learn（学ぶ）、Leave（去る））と言い、実際に投資を決めず帰国するケースが多いことに否定的な見方をする場合もあるようです。特に製造業分野では、十分な工業団地がないことと慢性的な電力不足という2つのハードルがあり、進出は時期尚早と判断される傾向が強いと指摘されています。ヤンゴン近郊にある工業団地の中で、唯一国際標準の設備を設けているミンガラドン工業団地は全区画が売り切れまたは予約済みです。

労働集約型産業から

　JETROヤンゴンによりますと「今、ミャンマーで投資するなら縫製業のような労働集約産業」が適しているようです。安い賃金というメリットを最大限に享受できる上、突発的な停電が起こっても生産が影響を受けにくいためです。重工業も含め本格的な製造業進出の時期は、ヤンゴン近郊で計画中のティラワ経済特別区が完成した後だとJETROは見ており、総面積2,400haのうちの約400haが2015年までに開発される予定です。インフラの心配なく事業展開できる他、特区では連邦議会で2012年に可決された新外国投資法に優先し、同法で定められた外資企業の投資に関する制約を回避することも可能になります。

3-3 ミャンマー連邦商工会議所（UMFCCI）

ミャンマー唯一の経済団体、UMFCCI
日本企業にアドバイスも

　2003年5月、アウンサンスーチー氏は地方遊説中に襲われ、当局に保護された後自宅に軟禁されました。これに反発するアメリカを主とする欧米は、制裁をミャンマーに科しました。日本は円借款の供与を停止しましたが、人道・緊急分野の無償資金協力と技術協力に限り支援を継続してきました。この間、日本とミャンマーの経済的なパイプ役を果たしたのがミャンマー連邦商工会議所（UMFCCI）です。

　UFMCCIはミャンマー唯一の経済団体であり、日本商工会議所と経団連を併せ持ったような役割を果たしています。外国投資法改定時、保守勢力により外国企業の最低投資額は500万米ドルになりかけたことがあります。これに対してUMFCCIはテインセイン大統領に意見具申し、製造業50万米ドル、サービス業30万米ドルを提示しました（最終的には制限は撤廃）。

　日本商工会議所は2012年9月28日、ヤンゴンでUMFCCIと第9回日本・ミャンマー商工会議所ビジネス協議会合同会議を開催し、両国併せて総数202人が参加しました。第1回の合同会議は1998年11月20日ヤンゴンのトレーダーズホテルで開催され、2002年に一時中断があったものの、2004年2月5日の第6回合同会議まで日本とミャンマーで交互に開催されて来ました。

　2004年10月19日キンニュン氏が突然首相を解任された後、日本とミャンマーの経済界のつながりはやや疎遠なものになりました。第7回の合同会議が開催されたのは、ようやく5年後の2009年11月2日です。第8回は2011年12月13日、第9回は2012年9月28日で、いずれもミャンマーで開催されました。2009年は、アメリカがミャンマーへの経済制裁の意義に疑問を抱き始めた時期です。

　2012年の合同会議では、ミャンマー・日本商工会議所ビジネス協議会ウイ

ンアウン会長、日本・ミャンマー商工会議所ビジネス協議会渡邉康平会長の開会の挨拶に続いて、Dr.プウィンサン商業省副大臣、齊藤隆志在ミャンマー日本国大使より、それぞれテインセイン大統領、野田佳彦内閣総理大臣の祝辞が紹介されました。その後、各セクションの発表と活発な質疑応答がありました。

UMFCCIは、ミャンマー各地に傘下の地方会議所を持っています。ミャンマーでは大企業はほとんど存在しませんから、会員企業は中小企業または零細企業が中心です。また、UMFCCIは世界の国々の経済団体と親密な関係があり、MOUを結んでいます。

会頭以下、5人の副会頭がそれぞれ所轄を監督しています。

(1) Vice- President (Commerce)
(2) Vice- President (Agriculture)
(3) Vice- President (Asean)
(4) Vice- President (Industry)
(5) Vice- President (Planning & Finance)

現在、UMFCCIには下部組織として**表3.1**のような協会があります。

UMFCCIと日本の経済界は、信頼関係を長きにわたって醸成して来ました。ミャンマー進出に当たっては、UMFCCIの助言を受けることがビジネス展開の助けとなることでしょう。ミャンマー政府は主要閣僚が入れ替わったりしており、日本のC/PとしてのUMFCCIの関係は重要であると、日本大使館、JETRO、JICAも指摘しています。現在、JICAは人材育成のための日本人材センターをUMFCCIの建物を借りてスタートすべく準備中です。

会議所副会頭のZAW MIN WIN（ゾーミンウィン）氏は、2012年11月15日付けの日刊工業新聞で「我が国の投資環境は従来に比べクリアになった。日本からも電力などのインフラ関連業種を中心に投資は増えるだろう。パートナー探しや土地の手当て、どの業種へ参入した方が良いのかを日本企業にアドバイスしていきたい」と語っています。

表3.1　UMFCCIの下部組織

The Highway Freight Transportation Services Association（運輸）
Myanmar Rice Industry Association（コメ）
Myanmar Petroleum Trade Association（石油）
Myanmar Travel Association（旅行）
Myanmar Hotelier Association（ホテル）
Myanmar Oil Palm Producers' Association（オイル）
Myanmar Construction Entrepreneurs Association（建設）
Myanmar Gems and Jewellery Entrepreneurs Association（宝石）
Myanmar Sugar Cane and Sugar Related Products Merchants And Manufacturers Association（砂糖）
Myanmar Perennial Crop Producers' Association（多年生穀物）
Myanmar Rubber Producers' Association（ゴム）
Myanmar Onion, Garlic and Culinary Crops Production and Exporting Association（タマネギ、ニンニク）
Myanmar Agro Based Food Processors and Exporters Association（農産物）
Myanmar Fruit and Vegetable Producer and Exporter Association（果物、野菜）
Myanmar Computer Industry Association（コンピューター）
Myanmar Garment Manufacturers Association（衣類）
Myanmar Farm Crop Producer's Association（農作物）
Myanmar Marine Engineer Association（海洋エンジニア）
Myanmar Plastic Industries Association（プラスチック）
Myanmar Paddy Producer Association（コメ）
Myanmar Mercantile Marine Development Association（海洋開発）
Myanmar International Freight Forwarders' Association（国際貨物）
Myanmar Gold Entrepreneurs Association（金）
Myanmar Pharmaceuticals & Medical Equipment Entrepreneurs Association（製薬）
Myanmar Women Entrepreneurs Association（女性）
Myanmar Livestock Federation（家畜）
Myanmar Customs Brokers Association（通関代行）
Myanmar Printers & Publishers Association（印刷出版）
Myanmar Fisheries Federation（漁業）
Myanmar Industries Association（工業）
Myanmar Forest Products & Timber Merchants Association（木材）
Myanmar Edible Oil Dealers Association（食用油）
Myanmar Rice & Paddy Traders Association（コメ）
Myanmar Pulses, Beans & Sesame Seeds Merchants Association（豆、ゴマ）
Myanmar Rice Millers Association（精米）
Myanmar Real Estate Services Association（不動産）

出所：UMFCCI資料

ZAW MIN WIN会議所副会頭
日刊工業新聞記事から
2012年11月15日付

　UMFCCIの傘下にMyanmar Industries Association (MIA)があります。組織には①SMEs Development Committee、②Consultancy Service Committee、③Planning/Research Committee、④Information/Publication Committee、⑤Finance Committee、⑥Auditing Committee、⑦Organization & Membership Affairs Committee、⑧Industry Product Committee、⑨Management Committee、⑩Regional Industry Branchesがあります。ミャンマーの有力な工業関係の会社が加盟しており、現在の代表はZAW MIN WIN氏です。工業関係の会社で、ミャンマー進出を考えている方はMIAを訪ねて見ることも必要かと思います。UMFCCIは商工会議所の建物の5階にあります。電話番号は95-1-214830です。

3-4 協力有望業種

食品加工、農業分野に抱負
IT、インフラ分野、観光産業に活路

食品加工業種

　ミャンマーの農産物加工業種の持つ可能性は高いものです。戦前のビルマ時代から日本はコメを輸入すべく三井物産などの商社が事務所を開設していました。また、英国植民地政策としてエーヤワディデルタ地帯でのコメの生産を奨励したこともあり、農業大国の現在の基礎となっています。GDPでは世界で3番目に貧しい国とされているに関わらず、国民が飢えて死ぬことがないと言います。ミャンマー政府はコメの値段の高騰だけはコントロールして来ました。コメが上がれば国民生活は困窮に直結し、騒動の種になると考えたからです。

　ミャンマー国土が広く、各地方によっては気候が大きく異なり、農産物はいろいろなものが生産可能です。

　日本に輸入されている紅茶産業については17万9,000エーカーの作付面積を持ち、10万人以上が生産に従事しています。これらは北部山岳地帯などの標高の高いところで品質の良いものが生産されます。果物類としては、スイカ、メロン、マンゴー、パパイヤなどが生産されており、主に中国に輸出されています。

　日本では、植物検疫法により、ミャンマーを含む東南アジアからの生果物の輸入はほとんど禁止されているため（ドリアン、ヤシの実、バナナは可能）、現時点では何らかの処理をしないと輸入できません。しかし今後ミャンマー産の果物については期待が持てます。現在、ドライマンゴーなどの輸入が始まりつつあります。

　UMFCCI傘下のミャンマー農産食品加工協会（Myanmar Agricultural Food Industry）からは、「ミャンマーは豊富な農産物資源を有するが、加工技術や

機械などのレベルが低い。日本からの投資により、さらに品質の高い商品を生産できるようになりたい」との希望が打診されています。パートナーを探しているとのことであり、日本企業にとっても将来の日本の食糧事情を考慮すると支援により太いパイプの関係構築ができます。

　ミャンマーの農産物加工のシャンモーミェー社（従業員200名、ASEANセンターなどの展示会にはミャンマー企業として何度も出品。2001年から有機栽培による野菜・果物を生産しており、ミャンマー全土に有機肥料の販売窓口を60カ所開設）の経営者ニャンリン氏によりますと、「ニンニク、タマネギ、豆などのミャンマーの食生活に直結するような作物のほか、コンニャク芋、ゴマなどの日本でよく使われる作物、また新しいところではアスパラガスなどの生産も開始した。これらの作物は、化学肥料などを使わない自然農法で作られ、日本でも求められる作物である。また外国人が土地を購入することはできないため、現地のパートナーが必要になってくる。ミャンマーは安全で高品質の作物を作るためには適した国であり、是非日本の農業加工業者と連携して進めていきたい」と抱負を語っています。

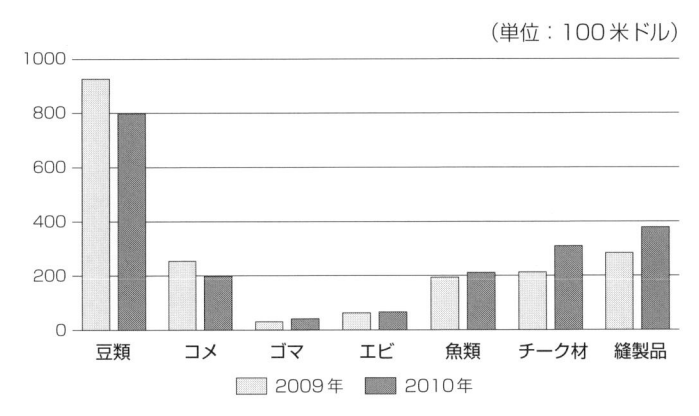

出所：JETROヤンゴン事務所（2012年6月）

図3.2　天然資源の輸出

ニャンリン社長は、特に日本、日本企業に対し「ミャンマー農家の資金力を補てんするマイクロファイナンスのシステムの支援、トラクター、耕運機などの農器具の供与支援などを期待しています」とのことです。

　マンゴーはドライ加工されて輸入されています。ミャンマー第2の都市マンダレー近郊ではマンゴー農園が盛んであり、年間250～300トンを生産し、輸出は中国向けに75トン程度行っています。ここでは、ミャンマーで一番人気のセインタロンと大人の手のひらよりも大きい特大サイズのシュエーという品種など4種類を生産しています。現地の価格は1個約30～50円です。

　現時点では、加工食品をそのまま日本に輸出できるレベルではありませんが、豊富な資源を持ち、ASEANの中で最も安い人件費の国であること、また6,200万人の人口から、日本の農産物生産技術による品質改良で国内市場への販売も期待できると考えられます。

自動車関連業種

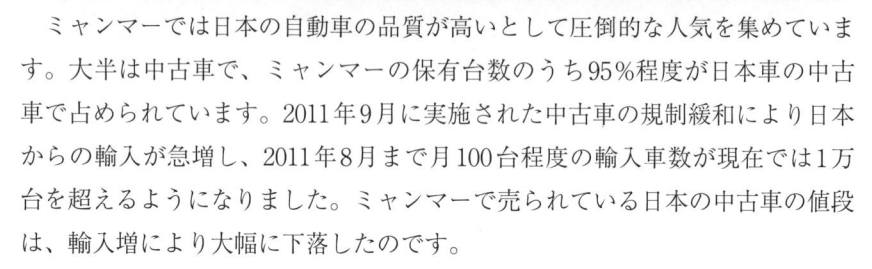

　ミャンマーでは日本の自動車の品質が高いとして圧倒的な人気を集めています。大半は中古車で、ミャンマーの保有台数のうち95％程度が日本車の中古車で占められています。2011年9月に実施された中古車の規制緩和により日本からの輸入が急増し、2011年8月まで月100台程度の輸入車数が現在では1万台を超えるようになりました。ミャンマーで売られている日本の中古車の値段は、輸入増により大幅に下落したのです。

　車の輸入で儲けるビジネスは現在リスクがあります。そのため、在庫を持たず顧客の要望によりネットオークションで取引を行うケースが増加しています。

　一方で、在庫を抱えているディーラーは、日系企業をはじめとする外国企業向けのレンタカービジネスを開始し好調です。特に首都ネーピードーとヤンゴンを往復する場合、飛行機の予約が取れないケースが多く、この場合は片道4車線のハイウエーを5時間で往復する必要があります。日本車のような丈夫な車でなければ、途中でエンストすると修理に難儀です。

ヤンゴンを走る中国製タクシー Cherry QQ3

　スズキは1999年にミャンマー政府などと合弁で工場を稼働させました。10年に合弁が終了して生産が停止するまで、累計6,000台の四輪車と1万6,000台の二輪車を作った実績があります。同社は、ミャンマー政府に対して、工場を再稼働するための認可申請を行ったことを明らかにしています。生産停止後も最低限の人員でメンテナスサービスを行っており、許可が下りれば再開する予定です。
　路線バスには韓国製が見られるようになりました。ミャンマー国内では自動車は右側通行であるため、韓国車両のように乗車口が右側に設置されている方が乗客の乗り降りには安全であり、韓国製のバスはこの問題をクリアしています。
　大型トラックではインドのタタ・モーターズが合弁で生産を開始した他、中国企業（福田汽車など）が中型、軽量トラックをノックダウン方式で現地企業に協力して生産をスタートさせています。さらに、小型軽量車でも同様の生産方式が行われています。これらはCherry QQ3の名称でタクシーなどに使われ始めました。
　新しいビジネスとしては修理工場が検討されており、既に数カ所でスタートしています。最近輸入されている中古車は、電子制御ないしは電気系統の部品

ヤンゴンの自動車修理工場

の割合が増えており、これまでのように手作業で修理をするわけにはいきません。

したがって、コンピューターノウハウを持った部品提供および修理工場が必要となります。さらに、自動車整備の教育がミャンマーには必要です。そのための自動車訓練校のような教育機関も併せて必要になります。新しい自動車は、コンピューターで制御し、ラップトップから太いケーブルを自動車のハンドルの下のカプラーに接続して、全ての情報を見て、不具合はパソコンで更新、修正して調整をする必要があります。

早期に自動車修理、整備網を構築しなければならない状況ですが、タイのバンコクから日本の自動車の部品は調達出来るものの熟練工がいません。これらを機能させた修理工場が必要であり、人材育成も含めたビジネスが期待されています。

ショッピングモール内　小売業（化粧品）

2002年からの10年間で、ヤンゴンで目につく大きな変化はショッピングセンターの進出です。ヤンゴンに最近できたショッピングモールの1つ「ジャン

ジャンクション・モール内の化粧品店舗（ダイソーなど）

クション・モール」は、ダウンタウンから北西に車で15分程度、ヤンゴン大学のすぐ近くにあります。完成したのは、2012年3月末、広いモール内には、化粧品店、スーパーマーケット、映画館、ゲームセンターなどが店舗を構えます。ここだけ見ると、とても後発の開発途上国には見えません。

2002年頃から日本の化粧品は資生堂やカネボウなどが富裕層に好まれていました。ミャンマーの女性は伝統的に、日よけ、または肌を白く見せるため「タナカ」と呼ばれる黄色い木から採れる色素を顔に塗っています。ヤンゴンでは最近中間層が増加し、若い女性は日本の化粧品を使うようになっています。

ジャンクション・モールにはダイソーも入っています。この売値は1,800チャット（180円）均一で、日本より高いのですが客が集まっています。目につくのが化粧品店の多さです。資生堂もありますが、日本ブランドによく似た名前のものもあり、紛らわしい商品も見受けられます。

化粧品の輸出を行う場合、輸出入が外国企業はできないことが壁となっています。日本の若手社長のT氏は現地の友人に企業を興してもらう予定で、「Made in Japan」を売りにし、モール内に日本製品だけを扱う店を出店したいと計画中です。

電力・インフラ関連業種

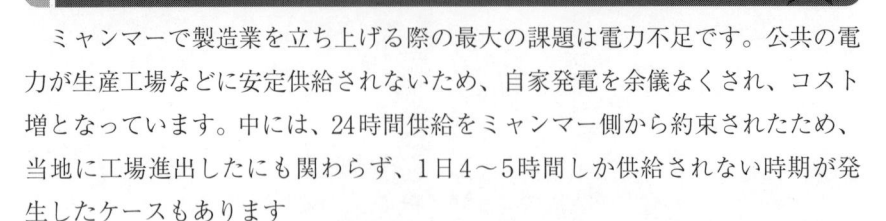

　ミャンマーで製造業を立ち上げる際の最大の課題は電力不足です。公共の電力が生産工場などに安定供給されないため、自家発電を余儀なくされ、コスト増となっています。中には、24時間供給をミャンマー側から約束されたため、当地に工場進出したにも関わらず、1日4～5時間しか供給されない時期が発生したケースもあります。

　ミャンマーでは、電力需要の急増に対して供給能力増加が追いつかず、需給ギャップが拡大しているため、計画停電が行われています。また、2005年11月の首都移転によりヤンゴンへの電力供給の低減が発生しています。2009年6月29日、ASEAN日本人商工会議所連合会は、ASEAN事務局事務総長との対話で、ミャンマーに関し、電力、通信、物流などの産業インフラの早期整備の必要について言及しました。2010年2月と5月には、ジェトロがDICAに対して電力不足が深刻である点をレターとして提出しています。

　（日本の戦後賠償で建設された）バルーチャン水力発電所は、急ぎ改修が必要です。実際は2003年頃、本件について日本は閣議で10億円の無償協力を承認し、サインする準備をしていました。しかし、その後のミャンマー政治情勢の変化により、いまだ実現していません。

　ミャンマーは発電量の7割を水力に頼り、乾季（11～4月）には慢性的な電力不足に悩まされています。ミャンマー国内には水力18カ所を含む29の発電所がありますが、ダムの水量が減る乾季の発電能力は最大134万kWにとどまっています。同じ時期の瞬間最大需要（185万kW）に足りません。

　ミャンマー政府は緊急対策として米ゼネラル・エレクトリック（GE）や米キャタピラーと協力して自家発電機の導入を進めています。また、長期的にはヤンゴン郊外に日本のJパワーと共同で出力60万kWの石炭火力発電所、韓国BKBとは天然ガス火力発電所を建設する計画があると表明しました。日本が進める経済特区ティラワ工業団地への電力確保は大きな課題となるため、大手商社が中心となり現在F/Sを行っています。

IT産業

　ミャンマーはインターネットの接続が悪く、情報関連例えば携帯電話1台20万円というとんでもない時代もありました。現在ホテルでは無線ランでネット接続は可能となりましたが、いまだプロバイダーの問題でメールも含めて送発信が大変遅いのが現状です。携帯電話のシムカードは2万円程度になりました。情報産業未発達は開放経済前の国策から、情報統制の意味で管理されたからです。

　ミャンマーは、オフショア開発拠点として非常に魅力があり、IT人材の活用の幅を広げられる将来性があります。特に注目すべきは、ミャンマー人の日本語習得能力の高さです。日本のIT企業が国際競争力を強化していくには、大きな潜在能力を持つミャンマーのIT関連の人材をうまく活用していくことが重要になります。

　ミャンマーでのオフショア開発は価格競争力に加え、日本語習得の高さと国民性の類似により、日本向けのオフショア開発に非常に適していると言えます。ミャンマーでは英語教育が早期から行われており、英語ができる人材も多くなっています。いずれ、開発の上流工程もミャンマー人のIT人材に任せら

ヤンゴンにあるIT企業集積地MICTパーク

れるようになったり、日本語と英語ができるIT人材として日系企業の海外拠点に配置したり、付加価値の高い人材活用ができるようなるものと予想されます。

ヤンゴンのMICT（Myanmar Information Communication Technology）パーク内には外国企業も含めて数十社入居しており、日本からもNTTデータが進出するなど今後大いに注目されるIT集積地です。IT産業に関しては日本の中小のIT企業にとって、現地企業との連携によりビジネスチャンスが得やすい業種です。

縫製業界

日系企業が唯一手掛けた、ミンガラドン工業団地内にはTIガーメントが操業しています。原料を輸入して半製品として日本に輸出する賃加工方式です。これをミャンマーではMPC（Making Packing Cutting）産業と呼んでいます。ワーカーの賃金が安く、手先が器用で、接しやすいことから、ミャンマーでの縫製産業は委託加工に最適な業界の1つです。

2012年度イオンが衣料品の委託生産を進めると発表しました。男性向けを中心に、15品目程度を現地工場に委託し、2013年には日本で販売する計画です。

外資規制緩和や米欧の経済制裁停止で外国企業の進出加速が見込まれる中、青山商事は2013年に同国での紳士スーツ生産量を12年見込み比4割増の13万着に引き上げ、1カ所だけだったスラックスの生産委託工場を2カ所にするなど増産体制を整える計画です。他の日本勢も低コストのアパレル製造拠点の確保を急いでいます。人件費上昇でコストが増し、2国間関係も悪化している中国への依存度を下げる効果を期待しているものと見られます。

ミャンマーはアジアでも賃金水準が低く、人件費が中国の5分の1程度に当たる月額7,500円前後とされ、途上国支援の「特恵関税制度」の対象国で、衣料品の関税に優遇措置があるため、生産地を中国から分散させる際の候補地と

して注目されています。

　ただ、原料調達では国内に紡績や織布の拠点がなく、物流面では日本まで3～4週間と、中国・上海の4～7日に比べ3倍以上かかるため、流行の移り変わりが早い女性向けのカジュアル衣料は難しいのですが、スーツなど季節性の低い定番商品であれば問題も少ないと考えられます。

　また、「ユニクロ」を展開するファーストリテイリングが、ミャンマー進出を検討していることが2012年明らかになりました。生産拠点を2014年以降に設置する予定のようです

　ファーストリテイリングは現在、中国以外にインドネシア、バングラデシュ、ベトナム、カンボジアの4カ国に生産拠点を持っていますが、将来的には、中国以外の国での衣料品の生産比率を、現在の約4分の1から3分の1に引き上げる計画を立てています。

観光産業

　ミャンマーはバガンをはじめとする仏教遺跡や景勝地などの観光資源に恵まれており、近年の政治改革、特に2012年に行われた補欠選挙がミャンマーの観光産業に恩恵をもたらしています。2010年に入国した外国人の数は79万人でしたが、翌11年には1.27％増え、80万人を超えました。さらに、2012年の入国者数は、1～7月の累計で前年同期比37.5％増と急増しています。

　現在ヤンゴンなどではホテル代が高騰しており、2010年と比べますと軒並み3倍以上になっています。5つ星ホテルなどは予約できないほどになっており、ホテルの新設が進んでいます。最近のデータでは、首都ネーピードー、ヤンゴン、マンダレー、バガン、タウンジー、インレー湖など主要観光地のホテル数は全448軒、室数で1万9,014室となっています。

　また、観光推進策の一環として、ヤンゴン近郊に新たな国際空港の建設の計画があります。ヤンゴン市当局は住宅施設のホテル改造を投資家に促し、年内に500室を増室する予定です。

世界最大のパゴダ。
ヤンゴンにある
シュエダゴン・パヤー

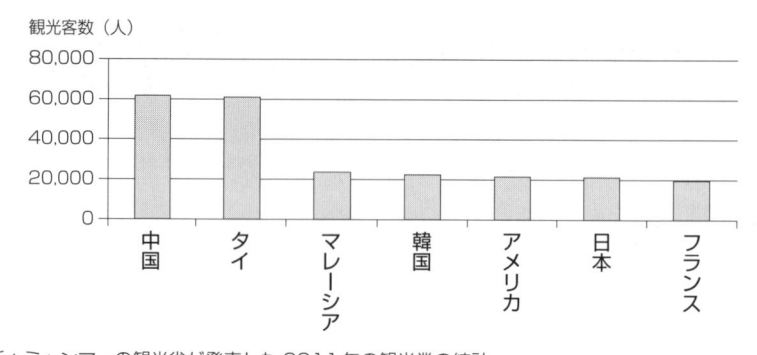

出所：ミャンマーの観光省が発表した2011年の観光業の統計

図3.3　観光客数2011年度

　日本からの直行便が再開したことも観光業に大きくプラスとなっています。
　全日本空輸は2012年10月15日、成田－ヤンゴン（ミャンマー）線を就航しました。同社がミャンマーへの直行便を運航するのは、2000年3月に休止した関空－ヤンゴン線以来、約12年半ぶりの再開です。月・水・土曜の週3往復で

運航しています。所要時間は約7時間とバンコク経由より3時間短縮できます。現在のところはビジネスクラスのみでビジネス客が中心ですが、今後観光客増加に伴って大型機によるエコノミークラスも期待されています。

　日本航空も、観光客を対象に臨時便を成田とヤンゴンの間で運行させています。観光業は裾野の広い産業であり、ホテル、旅行代理店、車、通訳、土産屋など現地の雇用を拡大するとともに、日本企業にとってもビジネスチャンスとなることでしょう。

小規模発電分野

(1) 小規模水力発電

　小規模水力発電はダムなどの大規模投資をしなくても、ある程度の電力量を確保できることです。大規模な水源を必要とせずに、山間部や中小河川、農業水路で発電出来ます。水の勢いを、タービンを介して発電機を回すもので、環境破壊に対して優しいものになっています。

　ミャンマーはデルタ地帯が広いため河川が多く、農業水路もあります。また、中国やインド、タイなどの国境地帯は山岳となっています。日本では法規制や水利権の問題などが発生しますが、幸いなことに、ミャンマー国内の土地のほとんどは国家のものです。政府の許可と資金の問題だけです。今後日本のODAのお金によって、電気が通じていない地域に設置される可能性が多分にあります。また、ミャンマー経済が向上すれば同国の資金で対応ができることになります。

　日本企業にとっては未開な絶好のチャンスが待っています。ライバルの外国企業に負けないような、ミャンマー政府に対するアプローチが大切です。

(2) 風力発電

　風力発電は風の力を利用して風車を回して、その回転運動を電気エネルギー

に変換するものです。風が吹かないと発電できない欠点があり、また、鳥類などの生態系への影響などが考えられます。比較的建設費が安く、クリーンなエネルギーとして注目されています。

　必要なエネルギー量を確保するにはある程度の広さの土地が必要とされています。多くの場合沿岸や山の上に設置されます。火力発電と比べると発電コスト自体は2倍程度高くなりますが、建設費は安いです。辺境地の小集落単位で設置することが考えられますが、ミャンマー政府に財源がなく日本のODA頼みになりそうです。

(3) バイオマス発電

　バイオマス発電は、薪や木炭、稲わら、籾殻および未利用間伐材などの森林資源、パルプカス、動物油脂、食品残渣などを燃焼させて発電機を回転させ電力を得るものです。

　価格は比較的低廉で小型のものは200万円程度ですが、ミャンマーの国民にとってはまだ高すぎます。集落単位のものですと何億円の設備費が掛かります。現在技術の開発途上にあり、今後の展開が楽しみになります。ミャンマーには資源となるべきものは無限にあります。

その他の魅力的なビジネスチャンス

(1) 水産物分野

　ミャンマー国民の多くは、川魚は食べますが、海の魚はあまり食べません。ミャンマーの近海では多くの魚類が捕獲されます。個人事業のレベルでは対応は難しいですが、中堅規模の水産会社が本格的に活動を行えば、かなり有望な事業になると考えられます。

　日本向けに、ブラックタイガーなどの海老類がたくさん輸出されています。また、ある程度魚類を加工して日本に持ち込めば、かなりの規模での事業化が

期待できます。まだまだ同国の水産分野には、日本の中小企業や中堅企業が事業を始める余地は十分にあると考えられます。

(2) 農産物分野

ミャンマーでは、マンゴー、マンゴスチン、パパイヤ、釈迦頭、ランブータン、ライムなどが有望で、果実の栽培と販売に詳しい人が事業化を志向すれば、将来性は十分にあります。

豆やゴマ類も有望で、既に多くの種類が日本に入って来ています。日本そばは、アヘンの代替作物としてゴールデン・トライアングル地帯でつくられていますが、現在のミャンマーの状況下では、中小企業が乗り出すことは難しいです。そばは辺境地帯でつくられて、インフラの整備が遅れている関係上日本まで持ち込むことは容易ではありません。

(3) 宝石類の分野

宝石類の採掘はミャンマー政府の管轄の範囲で、日本の業者が入り込む余地はないと考えてもよいでしょう。その代わり、宝石の加工分野や販売分野は非常に有望と考えられます。日本の企業は、現在ほとんどこの分野に進出していません。

ルビー、翡翠、サファイアに関しては、ミャンマーが世界一と言われています。しかし加工技術が未熟で、日本の中小企業が技術者を派遣して事業展開すれば、採算ベースに乗ることはそれほど難しいものではないと考えられます。

(4) 観光旅館の経営

ホテルの経営は大手資本でないと叶いませんが、観光地での旅館経営は魅力的です。ミャンマーは一般的には貧乏な国と思われていますが、一部の観光地では、現地の人でさえ外国人価格でないと泊まれないような宿があり、ミャンマー人宿泊客で賑っています。

リゾート地で、コテージ風の宿を展開すれば将来性は大いにあります。今後

日本の観光客の増加が予想され、非常に魅力的な分野と考えられます。また、ミャンマー人や欧州の人たちの宿泊も期待できます。

(5) スーパーマーケット

　食品スーパーをミャンマーで経営することは時期尚早とも考えられますが、ミャンマー人の衛生観念が高まり、今後ますます有望な分野となって来ました。

　日用品分野でのスーパー経営は、好機到来と考えられます。ミャンマーは市場経済の進展により、国民のかなりの人は予想以上に金持ちです。国内には商品が出回っており、一旗上げたい人や日本でチャンスを逸した人が、廉価良品でシステム的に店舗展開すれば、成功の可能性は大いにあります。

　ミャンマー国内の企業が既に店舗展開を進めており大変繁盛していますが、しかし、まだ一部を除きそれほどの規模にまで成長していないため、チャンスは大いに残されています。

(6) 自動車部品関連の量販店

　ミャンマー国内は、予想以上のスピードで自動車化社会が進展しています。ヤンゴン市内や第2の都市マンダレーでは、自動車が渋滞するほどになっています。それに伴い、自動車の修理工場や部品屋が街角で目立つようになって来ました。

　自動車関連の商品はマーケットが大きく、今からミャンマーでじっくりと事業展開を開始すれば、将来「オートバックス社」のような大手企業のレベルにまで発展する可能性が十分に残されています。

　ホームセンター分野での展開は、やや時期尚早と考えられます。自動車分野での経験を積んでからの展開が上策と判断されます。

(7) 住宅分野

　ヤンゴンの一部住宅街では、豪邸が林立するほどになって来ています。洋風の戸建て住宅のノウハウを多くの日本の住宅会社は持っており、技術指導とと

もにパートナーとしての事業展開が考えられます。

　個人レベルで共同経営者として起業しても、今後相当なレベルの会社に成長できる可能性があります。

(8) 婦人衣料品店

　ミャンマーでは、近年ファッション店が急増しています。ヤンゴン市内においては民族衣装のロンジーではなく、スカートを穿いている女性が目立つようになって来ました。婦人衣料品店の店内はますます明るくなって来ました。これらのことは、婦人衣料の需要が伸びていることを示しています。

　ミャンマーの多くの人は日本が好きです。日本の商品に憧れを持っています。あまり先進的でない程度のモードで、ミャンマー国内で縫製して販売すれば、婦人衣料品店経営の将来は明るいものと考えられます。昭和40年頃の日本のような伸びが期待できます。しかし、数年程度の短期での成果を焦らないことが肝要で、専門店としての経営感覚が大切です。

(9) 家具製造業

　ミャンマー国内ではチーク、カリン、マホガニーなどの堅木が豊富に生産されており、チーク材の机、椅子など、驚くほど安くて豪華なものが市販されています。

　それらを瀟洒なデザインにして、重量を軽くし、システム家具として企画・製造すれば、外国向けのマーケットが広がることでしょう。ミャンマー国内ではなく外国を市場にすることが肝心で、品質管理に万全を期せば、近い将来必ずや人気が出るものと考えられます。

　定年退職後の日本の職人にとっても、品質管理、納期管理のノウハウを指導できるチャンスがあります。

【第9章】
CHAPTER.9

ビジネスを始める ための実務

4-1 ミャンマーの労働力と賃金事情

労働力と低賃金が魅力
国有企業の労働力は減少、外資企業では増加

労働事情

　今注目を集めているミャンマーへの外国の投資の魅力の1つは、労働力と低賃金と言われています。ミャンマーの人口統計は調査機関によって異なりますが、IMF（World Economic Outlook Database）によると6,242万人となっており、そのうち労働者の数は2012年4月現在、約4,000万人と言われています。1962年から社会主義国であったミャンマーでは、国有企業が国内生産のほとんどを支えてきました。しかし、1991年軍事政権の下で市場経済が導入されてからは、国有企業の民間への売却が進んでおり、国有企業の労働者が減少傾向にある一方、非国有および外資企業の労働者は増加傾向にあります。

　労働者の分野別の統計は発表されていませんが、アジア経済研究所の2001年の調査報告によれば、農業労働者の割合は平野部、山地、海沿地によって差はあるものの非農民層は15〜55％となっています（**表4.2**参照）。その他として水産加工業、工業・建設業、サービス業などに分散されます。ただし、昨年の経済制裁の解除に伴い、今後は外国企業の進出や投資による工業・建設業への労働者の割合の増加が予測されています。

表4.1　各国の人口比較（2011年、万人）

タイ	ベトナム	カンボジア	ラオス	ミャンマー	バングラデシュ
6,408	8,932	1,510	629	6,242 (UN 4,834)	14,845

出所：IMF, World Economic Outlook Database, October 2012

表4.2　農業労働者(世帯)の割合

調査村の位置	総世帯「A」	うち農家	うち非農家「B」	非農家層の比率「C」=「B」/「A」
エーヤワディ地域ミャウンミャ郡	515	232	283	55.0
パゴー地域ウォー郡	456	213	243	53.3
マンダレー地域チャウセー郡	219	118	101	46.1
マンダレー地域マグウェー郡	662	326	336	50.8
マンダレー地域タウンドゥインジー郡	510	334	176	34.5
シャン州ニャウンシュエ郡	842	544	298	35.4
シャン州地域ロー郡	497	622	75	15.1
タニンターイー地域ベイー郡	1,167	647	520	44.6

出所：IDE-JETRO研究双書No.546、7章（藤田幸一編）

労働力供給量

　現在、少産少死社会に移行しているミャンマーでは、生産年齢人口が増加する傾向にあります（**表4.3**参照）。国連の人口推計によると2010〜20年は年率1％の増加となっており、それが2030年まで続く見通しです。ミャンマーの生産年齢人口のピークは2030年代後半と予測され、その後、緩やかに減少すると予測されています（**表4.4**参照）。

　国連の統計（2003）によると、生産年齢の人口増加の推移（％）を隣国タイと比較するとミャンマーとタイはそれぞれ、2030年には0.51と0.41、2035年には0.38と0.29、2040年には0.29と0.16、2045年には0.21と0.04、2050年には0.13と−0.06です。2030年からミャンマーもタイも人口増加率は減少するものと予測されていますが、ミャンマーはタイより高い水準が続く見通しです。

　現在、国内産業がまだ発展してないため、ミャンマーはメコン流域随一の外国人労働者の供給国です。タイへの出稼ぎ労働者は250〜300万人と言われています。マレーシアにも100万人の出稼ぎがあると言われています。国内では

表4.3 生産年齢人口（15～64歳）の推移

(単位：万人)

	2011年	2030年	2050年	総人口対比 2050年	変化率 2050/2011
タイ	4,918	4,935	4,302	60.6	－12.5％
ベトナム	6,282	7,091	6,465	62.4	2.9
カンボジア	927	1,207	1,322	69.7	42.6
ラオス	392	537	589	70.3	50.2
ミャンマー	**3,362**	**3,827**	**3,661**	**66.2**	**8.9**
フィリピン	5,813	8,153	10,238	66.1	76.1
マレーシア	1,881	2,446	2,830	65.1	50.4
シンガポール	383	372	337	55.2	－11.9
インドネシア	16,399	19,401	18,851	64.2	15.0
ASEAN 10	40,387	48,004	48,636	64.3	20.4
バングラデシュ	9,745	12,900	13,272	68.3	36.2
中国	97,699	96,014	79,001	61.0	－19.1
日本	8,014	6,883	5,545	51.1	－30.8
韓国	3,505	3,147	2,542	54.0	－27.5

出所：UN, World Population Prospects, the 2010 Revision
注：ミャンマーの2011年人口はIMF（WEO）6,242万人、国連人口部4,834万人

表4.4 ミャンマーの生産年齢人口比率の長期推移

(単位：％)

1950年	62.4	2005年	67.0	2035年	69.9
1960	55.9	2010	69.2	2040	68.8
1970	57.0	2015	70.8	2045	67.7
1980	55.7	2020	70.9	2050	66.2
1990	59.6	2025	70.7	2060	62.9
2000	64.4	2030	70.4	2070	61.0

出所：UN, World Population Prospects, the 2010 Revision

職場を見つけることが出来ない人たちです。タイへの出稼ぎ者は国境周辺、マレーシアへの出稼ぎ者は中央乾燥地帯の農村出身者が多いと言われています。労働力の海外流出が国内需給不均衡の1つの解決策になっています。なお、高学歴者はシンガポールやブルネイなどにも流出しており、海外留学組も帰国しない人たちが多いのが現実です。その理由は、母国には専門職や技術レベルの高い産業構造がないからです。

生産人口増加率や国内外の労働者人口の推移から予測すると、ミャンマーは労働資源の豊富さでアジア有数の労働力の供給圧力が将来も続く見通しです。

労働力供給を考えるとき、もう1つ忘れてはならないのが不完全就業者の層が存在することです。ミャンマーの1人当たりGDPは824米ドルと、ASEAN最貧国であることに示されるように「半失業」状態であり、都市部の露店商や農村部では仕事に就いていても極めて低賃金の人達がいます。完全な失業者ではありませんが、半分失業者と変わらないような生活を余儀なくされています。ただし、ヤンゴン市はアルバイトや副業などの本職以外の収入機会が多く比較的豊かです。また中間所得層も形成され、消費活動も豊富と言えます。しかし、ヤンゴンと地方の所得格差、またヤンゴン市内でも所得格差は大きいのが現状です。近代的産業部門が拡大すれば、このような階層からいくらでも労働力が供給されるようになります。つまり、近代的産業部門のための「労働予備軍」です。海外への出稼ぎ労働者も同じく労働予備軍です。労働の供給源は至る所にあることを考えると、ミャンマーの現状は無制限的労働供給国とも言えます。

労働者の賃金

多くのアジア諸国は、海外から直接投資を受け入れ、輸出主導型で工業化に成功し、経済発展を遂げてきました。しかし、ミャンマーにおいては、直接投資と輸出という東アジア型経済発展の構造がつくられませんでした。例えば、ミャンマーの輸出産業の柱である縫製業の発展過程を見ると、1990年代、ミャ

ンマーの衣料品輸出は順調に伸び、縫製業は発展しました。しかし、2003年に米国は対ミャンマー制裁法を新たに制定し、結果、ミャンマー製品の輸入全面禁止、ミャンマーへのドル送金禁止などの措置が取られ、米国への輸出の8割を占めていたミャンマーの縫製産業は衰退していきました。2004年には、EUもミャンマー国営企業への借款の禁止などを含む制裁措置の強化を決定しました。このように海外市場に輸出できなければ、いくら安価で良質な労働力が豊富に存在していても、直接投資でミャンマーに進出する企業はありません。実際、製造業への直接投資は極めて少ないものでした（**表4.5**参照）。

このように、米国およびEUによる経済制裁により、ミャンマーは、直接投資と輸出という東アジア型経済発展構造をつくることができず、製造業は発展しませんでした。一方、伝統的な産業である農林水産業も、農水産資源が豊富であるにも関わらず、その輸出額は近隣諸国に遠く及ばないのが現状です。このように、製造業も農水産業も未発達であり、労働力に対する需要は弱く、雇用吸収力は低くなっています。

表4.6は、アジア諸国の賃金調査です。ワーカー（一般工職）に比べ、エンジニア（中堅技術者）、中間管理者（課長クラス）となるに従って、賃金が高くなるのはどの国も共通です。しかし、ミャンマーは職階制の格差が一番大き

表4.5 ミャンマーへの外国直接投資（分野別、認可ベース）

（単位：100万米ドル）

年　度	石油・ガス	電　力	鉱　業	製造業	合　計
2006	438	281	—	—	720
2007	170	—	5	19	206
2008	114	—	856	—	985
2009	279	—	2	6	330
2010	10,079	8,218	1,396	66	19,999
2011	248	4,344	20	32	4,644

出所：ミャンマー中央統計局、"Selected Monthly Economic Indicators", April 2012

表4.6 アジア諸国の賃金比較（2011年度）

(単位：米ドル／月額)

	製造業ワーカー	エンジニア	中間管理職	非製造業スタッフ
中国（広州）	352	650	1,301	739
中国（上海）	439	745	1,372	836
タイ（バンコク）	286	641	1,565	617
ベトナム（ハノイ）	111	297	713	369
ベトナム（ホーチミン）	130	286	704	320
カンボジア（プノンペン）	82	204	663	266
ラオス（ビエンチャン）	118	218	361	167
マレーシア（クアラルンプール）	344	973	1,926	920
フィリピン（マニラ）	325	403	1,069	479
フィリピン（セブ）	195	339	829	455
インドネシア（ジャカルタ）	209	414	995	409
ミャンマー（ヤンゴン）	**68**	**176**	**577**	**173**
バングラデシュ（ダッカ）	78	251	578	306
インド（チェンマイ）	260	646	1,431	605

出所：JETRO調べ（J-ファイル：投資コスト比較）

くなっています。ワーカーの賃金はアジアで一番安く、そしてワーカーを100とした賃金指数は、エンジニア259、中間管理職849と格差が大きくなっています（カンボジア、バングラデシュも格差が大きい）。これは、スキルのある人材の不足を示唆しているとも言えます。非製造業のスタッフ賃金は、製造業のワーカーより高いのも産業が発達していないことの現れです。

参考までに、将来の成長分野の1つとされるミャンマーIT企業の給与を**表4.7**に示しました。製造業に比較し、非製造業の場合はテクニシャンとマネージャークラスの給与格差は、製造業に比べ小さいことからも製造業が未発展でスキル人材の不足していることがわかります。

一方、300万人とも400万人とも言われる、海外流出の出稼ぎ労働者の賃金は、タイやマレーシアで合法的に雇用されている労働者の場合（縫製業）、月

表4.7 ミャンマーIT企業の給与調査（月額）

ローカル・スタッフの役職	チャット払い			FEC（外貨兌換券）払い		
	最低	中間	最高	最低	中間	最高
ダイレクター	300,000	400,000	500,000			
ジェネラル・マネージャー	180,000	250,000	500,000	350	400	500
プログラミング						
マネージャー	120,000	170,000	250,000	150	200	350
スーパーバイザー	100,000	120,000	200,000	120	160	250
シニア・プログラマー	90,000	120,000	180,000	110	150	200
プログラマー	70,000	100,000	120,000	90	120	150
サービス						
サービス・マネージャー	120,000	200,000	300,000	150	250	350
サービス・スーパーバイザー	80,000	120,000	230,000	100	150	250
シニア・テクニシャン	80,000	150,000	220,000	100	150	200
テクニシャン	80,000	150,000	150,000			

出所：ミャンマー・サーベイ・リサーチ（MSR）「Salary Survey 2012」
注：ミャンマーのIT企業（ローカル14社、合弁2社）に対して2012年1月～2月に行った調査結果に基づく

額20万チャット（2万円）程度であり、ミャンマー国内の約3倍です。将来、海外からの直接投資により製造業が発展すれば海外の出稼ぎ労働者の需要は重要であり、品質管理や生産性の向上に貢献する余地は大きいと思われます。

労働者の賃金と直接関連する重要な要素の1つに、インフレの問題があります。近年、年率5～10％の上昇が続いています。そのため、2012年4月には公務員賃金が引き上げられました（月3万チャットの生活手当支給）。2013年4月にも公務員賃金の引き上が予定されています。また、2011年10月の法改正で、労働組合の結成やストライキの権利が認められています。

企業経営者にとっては、賃金上昇のリスクはあります。今後は、経済発展とともに賃金上昇が進むことが予想されます。しかし、その場合でも、高能率の機械の導入などで生産性が向上するので、その分単位労働コストの上昇は抑制され、国際競争上、実質賃金の有利性は続くものと見られます。

労働力の質

UNESCOの2008年報告によると、ミャンマーの成人（15＋）の識字率は91.9％と高い数字を示しています。低所得にも関わらず高い識字率を示しているのは僧院教育（寺子屋）の普及の成果と考えられます。ミャンマーは仏教に熱心な国民性を有しており、昔から地方の小・中学校はお寺の敷地内に設立され、僧侶が教えることも珍しくありません。家族代々絆の強い地域密着型の教育制度が高い識字率の理由のようです。

また、「この世で功徳を積み、あの世で幸福になる」という仏教の教えのゆえか、勤勉で誠実な人が多く、縫製業など単純労働では「質」の良い労働力となっています。しかし、長期にわたり海外との貿易などが発達してこなかったため、生産管理や技術訓練制度が十分でなく、スキルのある人材が育たなかったと言えます。そのために、単純労働者は豊富ですぐに補充出来る一方、マネージャーやリーダーなどスキルのある人材が不足しているのです。

ミャンマーの単純労働の柱である縫製業でもスキルのある人材が不足している現状から、将来的に産業構造の高度化を目指す場合、重機や精密機器など工業に必要な技術を有するエンジニアの育成は必須となります。産業に必要なスキルのある人材の育成は、ミャンマーの今後の教育改革の重要な課題です。

人材教育

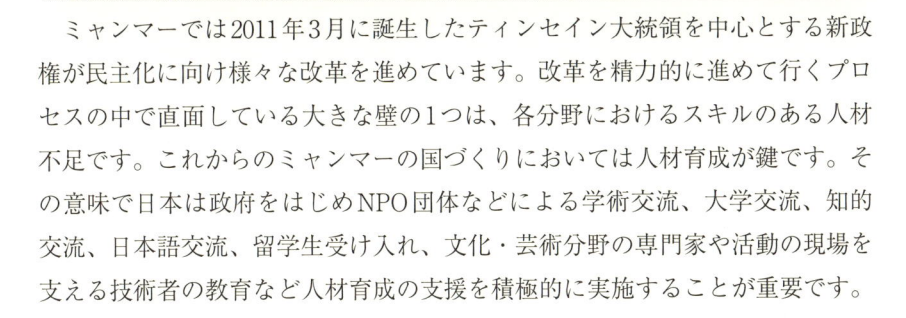

ミャンマーでは2011年3月に誕生したティンセイン大統領を中心とする新政権が民主化に向け様々な改革を進めています。改革を精力的に進めて行くプロセスの中で直面している大きな壁の1つは、各分野におけるスキルのある人材不足です。これからのミャンマーの国づくりにおいては人材育成が鍵です。その意味で日本は政府をはじめNPO団体などによる学術交流、大学交流、知的交流、日本語交流、留学生受け入れ、文化・芸術分野の専門家や活動の現場を支える技術者の教育など人材育成の支援を積極的に実施することが重要です。

人材育成プログラムを通して、2国間での授業の共同実地、作品の共同制作、成果の発信など文化協力プログラムを立ち上げ、民間の研修プログラムなども活用しつつ、官民一体で、人材育成を推進していく必要があります。その前例として、2012年6月にミャンマー文化・スポーツ交流ミッションがミャンマーに派遣され、山下泰裕氏による柔道の指導や、コシノジュンコ・ファッションショー、NHKワールド配信開始など文化・スポーツ交流が行われました。

今後ミャンマーへの外国企業の進出や貿易投資が格段に多くなると予測されています。それに伴うミャンマーでの現在の産業・貿易人材ニーズの現状と将来について述べます。

現在、産業人材ニーズとしてワーカー・技術者に関して企業側は新卒・未経験者を採用後、一定期間社内で研修を行います。スーパーバイザーレベルスタッフの能力強化や意識向上に関してはOJTや毎日・毎週のミーティングを実施、海外取引先による講習などで社内研修、外部研修機会の付与、海外関連会社での研修などを行っています。一方、雇用者の維持に関しては給与だけではなく労働環境への配慮など、定着率向上のための措置も必要で、海外転職者に対しては高給を支払えず引き止め困難なのが現状です。

ワーカー・技術者の育成には主要都市あるいは近隣地域での実務訓練機会の拡充（基本的に工業スキルなど）やスーパーバイザー研修機会の拡充が必要です。なお、JICAのICTセクター支援プロジェクトの経験を活用し、ICT技術の研修機会の拡充も人材育成対策の重要な役割を持ちます。

管理部門/マネージャーに関しては、有能な管理部門人材や有望な現地人マネージャーの確保は難しいのが現状です。管理部門ではニーズを満たす人材は少ないので転職が多く取り合い状態です。マネジメント部門のマネージャーに関しては、現地人ジェネラルマネージャーの能力で経営が決まる要素があり、有能な人材を確保することが鍵となります。ただし、こうした人材は少なく、海外市場経験を有するマネージャーも少ないのが現状です。このような状況において管理者やマネージャーを育成するためには、管理部門職種によって適切な実務訓練学校の拡充や、マネージャーレベル人材育成のための教育機会拡充

表4.8　13省庁が関係する公的産業人材育成プログラム

関連省庁	機関	数	協力体制
科学技術省	工科大学	5	
	コンピューター大学	25	
	技術大学（Technological University: TU）	25	
	政府技術カレッジ（Government Technological College: GTC）	4	
	政府技術学院（Government Technological Institute: GTI）	7	
工業省	産業訓練センター（Mandalay）	1	中国との協力事業
	産業訓練センター（Sinde）	1	ドイツとの協力事業
	産業訓練センター（Thagaya,Magway）	2	韓国との協力事業
	産業訓練センター（Pakokku、Mingu）	2	インドとの協力事業
労働省	研修トレーニングセンター	3	外国へ研修生送り出す機関との協力事業
その他、教育省、商業省やホテル観光省も、MBAコースや経済・経営・貿易・語学など様々なトレーニングプログラムを提供している。			

出所：アジア科学教育経済発展機構報告書

が必要です（**表4.8**参照）。

　また、政府の教育訓練機関の機能していない部分を補う形で、2000年頃から民間産業人材育成事業が急成長しました。しかし、現在の所管官庁・適用法ともになく、サービス会社として登録するのみとなっています。分野的には技術系トレーニングセンター、コンピューター系トレーニングセンター、マネジメント系トレーニングセンター、語学系トレーニングセンター、その他、ホテル観光、看護介護、塾などです。

　その中で代表的な民間トレーニングセンターとして、技術系民間トレーニングセンター「MCC Training Institute」（学生数1,000人規模、海外の大学と連携して学位プログラムを実施）やコンピューター系トレーニングセンター「KMD Computer Group」（学生数4万人規模）などがあります。また、マネ

ジメント系トレーニングセンターとして、ミャンマー商工会議所も管理部門・マネジメント部門として国際貿易、財務管理、語学および海外協力プログラムなどを定期的に実施しています。

人材教育に関する最近の動きとしては、2013年2月に国際協力機構（JICA）とミャンマー政府との間で、「ミャンマー日本人材開発センタープロジェクト」にかかる正式な実施合意文書が署名されました。ミャンマーの商業の中心であるヤンゴンにおいて、ミャンマー商業省およびミャンマー連邦商工会議所との協力の下にミャンマーにおけるビジネス人材の育成を目的で「ミャンマー日本人材開発センター」を設立することで合意しました。同センターは、連邦商工会議所のビル内に設置され、ミャンマーのビジネス人材を対象とした、マーケティング、財務・会計や、生産管理、5S、改善といった日本的な経営・品質管理の手法についてのビジネス講義が行われる予定です。

また、2013年3月にミャンマー科学技術大臣が来日し、千葉大学、長崎大学、熊本大学など国立6大学が、ミャンマー工科大学へ共同で支援を行うことで合意しました。ミャンマーでは、民主化に伴う経済改革で日本企業をはじめとした外国企業の進出が進んでいますが、製造業などで働く技術者の人材不足が深刻となっています。そのため、技術力を生かした経済発展のために日本の6大学が技術者の育成支援に協力していくことが目的です。

その他にも、JICAプロジェクトとしてミャンマー国内で地域別および全地域において約20のプロジェクトが進行中です。下記のプロジェクトは、保健、医療、教育、農業、麻薬対策などを中心とした人材育成に対する技術協力支援です（下記（P）は技術協力）。

① （P）社会福祉行政官育成プロジェクトフェーズ2/2011.8-2014.8
② （P）主要感染症対策プロジェクトフェーズ2/2012.3-2015.3
③ （P）アセアン工学系高等教育ネットワーク プロジェクトフェーズ2/2008.3-2016.3
④ （P）農民参加による優良種子増殖普及システム確立計画プロジェクト/2011.8-2016.8

上記に述べたように、現在、官民レベルでいくつかの人材育成プログラムが実施されていますが、量・質共に大幅に遅れているのが現状です。特にこれから本格化されるインフラ整備や外国企業の進出による製造・加工などの工業化に伴い、スキル技術者の需要が拡大します。これらに対応するためには、日本のように電気工事士、配管技能士、溶接士、建築塗装技能士、機械整備士などの専門技士の育成に特化した訓練学校を設立し、日本から専門家をミャンマーに派遣して教育したり、訓練生を日本に派遣して実習研修を行うことなども重要です。

4-2 労働関連法

ビジネス関連の法改正、制度改革が急ピッチ
労使円満な環境を構築し良質な労働力を確保

　2011年3月に誕生したミャンマーの新政権下では、新外国投資法をはじめとしたビジネス関連の法改正、外国為替制度などの金融・経済制度改革が急ピッチで進んでいます。その一環として、労働関連法規の見直しや整備も例外ではありません。労働組織法（労働組合法）や労働紛争調整法が制定され、また最低賃金法や社会保障法なども法案が作成され、急速に法改正が進んでいます。

　これまで適用していた1964年労働者の基本的権利義務法では、同法は労働者の権利義務の枠組みを定める法律でしたが、2011年11月21日この法律が廃止され、またこれと前後して、労働組織法、労働紛争調整法が制定、2012年5月に施行されました。

　軍政下では「5人以上の人々が集会を行う場合には事前届出を行い、許可を得るものとする」旨の通達が出されており、労働組合活動などは事実上実施できない状況であった。しかし、2011年にその法律は廃止され、昨年ミャンマーでは労働者のストライキが続発しました。各種報道によると少なくとも50カ所以上の工場でストライキが発生したようです。

　ストライキの要因は賃金のベースアップ要求がほとんどですが、その他として残業による賃金の未払いや職場環境による不満などが挙げられています。なお、農家の土地売買によるトラブルによるストライキも多数発生しました。ストライキ権を行使する際には、事前に雇用主と仲裁団体に対して実施日時、場所、人数、方法、期間などを届け出る必要があり、違反した場合は罰せられるとしています。

　ただし、現時点では労使共に交渉の経験がないことも多く、労働者の意見もまとまらないまま議論に突入するなど、お互い手探り状態で折衝している企業もあるようです。ミャンマーでは敬虔な仏教徒が多く、温和な国民が多いと言

われており、現在までのところ、ストライキを発端とした過激な暴徒などのニュースは聞こえてきません。ただし、ストライキに関しては一過性のものとは考えず、労働争議の発生を想定してマネジメントすることが求められます。

ミャンマーでは今後も経済成長が期待されており、物価上昇も想定されます。ワーカーにとってみれば、前年と同額の賃金水準では生活水準が悪化するばかりです。対策としては、賃金水準を適宜スライドさせていくことで労使円満の環境を構築し、ワーカーから良質な労働を引き出すことでしょう。今後もストライキが発生するリスクを想定しながら、それを予防する工夫も必要となります。単なる最低賃金の管理だけでなく、インセンティブプランの検討、コミュニケーションの円滑化など様々な対策を講じることが得策と考えます。

ストライキは近隣エリアで発生すると飛び火することも多いことから、周辺企業での労働争議関連情報にアンテナを張っておくことも必要です。また、労働争議が起こってしまった場合のマニュアル作成や、仲裁や調停を頼れる関係者との連絡も普段から密にしておくとよいでしょう。

雇用

ミャンマーでは、5人以上の労働者を雇用するという場合には、町の労働事務所に雇用予定者のリストを提示し、町の労働事務所は各人の適性について確認した上で企業に伝えます。企業は、自主的な採用活動も可能とされています。労働契約については、就業場所、労働関係に関する義務や労働内容、就業時間、給与と手当、使用期間、解雇条件、労働契約期間など、書面で労働条件を具体的に記載する必要があります。

賃金

2012年に新最低賃金法が立案されており、今後施行されれば仕組みは変わりますが、現在は1936年賃金支給法が施行されています。現行法では、精米

業やタバコを巻く作業に関する労働以外には最低賃金の定めはありませんが、新法案では業種別に最低賃金が決定される見通しです。また、特別経済区域に対しても最低賃金が定められる予定です。なお、賃金は２年に一度見直しすることが義務付けられています。残業代は通常の勤務時間以外の労働に対して支払うことが要求されています。ボーナスは、年に一度約１カ月分の賃金相当額が支払われることが多いようです。

福利厚生

　2012年８月に新社会保障法が施行されました。社会保障は、使用者（事業主）と労働者双方により負担することになっており、労働者の年齢に基づき保険料が異なります。労働者の年齢は５段階に設定され、事業主と労働者双方合わせて賃金の1.5～4.0％となっています。一例として、労働者が35歳以上45歳未満の場合、事業主は1.5％、労働者は賃金の1.7％で計3.2％の支出が求められます。なお、女性労働者の産休、業務に関連した傷病による医療費および傷病などの手当も詳細に定められています。

労働組織

　2011年労働法では、労働組織は、同業種の30人以上の労働者で組織することできます。ただし、全労働者の10％以上の賛同を得る必要があります。そして、労働者は、労働組織に加入する権利を有し、労働組織は、公共サービスに関わる分野であればストライキの14日前、公共サービスに関わらない分野であれば３日前までに日程、場所、参加人数、方法と時間を事業主および関連する労働連合に告げ、実施することが可能です。

労働紛争調整

　2011年労働法では、労働調整委員会、労働調停機関、労働仲裁機関などの組織について規定しています。各委員会および機関が労働問題について労使共々それぞれの段階での調整、調停に満足できなければ、その上層機関に申し立てできることが定められています。また、労働問題が生じた際、労働組合の委員会や機関を通じて労働問題の調整を経ることなく、使用者側が行動を起こすこと、労働者側がストライキをすることは禁じられています。

現地小規模農業用機械メーカーの労働者

4-3 会社法の手続き

会社設立形態を選択した後の、会社設立許可手続を規定

同法では、業種分野別に基づいて会社設立形態を選択した後の、会社設立許可手続の流れを説明しています。

Step Ⅰ 投資家が関係省庁に事前申請し許可を得る。
Step Ⅱ 投資家がMIC（Myanmar Investment Commision）へ外国投資法に基づく投資許可申請をし、投資許可（Permit to Invest）を得る。
Step Ⅲ 投資家が「営業許可」および「法人登記」を企業登記室に申請し、営業許可（Permit）および法人登記（Company Registration）を得る。なお、輸出入に関連する場合次のステップが必要。
Step Ⅳ 投資家が輸出入者登録（Exporter/Importer Registration）を貿易UMFCCIに登録し、登録証（Certificate）を得る。
Step Ⅴ 投資家がMIC指定銀行に口座開設（外貨、チャット）する。
Step Ⅵ 投資家がミャンマー保険局と保険契約を締結する。
Step Ⅶ 投資家が工場新設時の手続をする。
Step Ⅷ その他、会社設立関連の諸手続をする。

以上が営業開始までの流れです。なお、営業開始後はStep Ⅸとして送金、配当、増資手続きおよびStep Ⅹとして清算手続きなどを行う必要があります。

実際の手続きを進める場合は、事前に該当省庁に確認しつつ進めることをお勧めします。関係省庁への事前申請に関しては、外国投資法の施行細則には禁止・制限業種が詳細に表示されましたが、業種の分野、規模などについて、判断を要する領域もあり、投資を計画する際、どの業種に該当するか、どの省、あるいは地方政府（管区・州）に関わるかなど、十分調査した上で投資許可申請を行う必要があります。

9-9 外国投資法に基づく投資許可申請

**関係省庁への事前申請、
外国投資法に基づく投資許可申請**

　投資許可申請は外国投資法の第56条第（a）項に基づき、国家計画・経済発展省が連邦政府の承認を得て発表した規則の第5章（31項～41項）に述べられています。

規則	投資家ないし推進者による委員会への提案の提出の際は、以下の項目をフォーム（1）申請書に書き込み、推進者によって署名し、提出しなければならない。	
31	a.	投資家ないし推進者の氏名、国籍、住所、事業の場所、関係法に従って従事する実際事業、事実上の管理本部所在地、法人の住所、事業の形態
	b.	投資が合弁事業のよって実施される場合、合弁事業に参加したい人物に関するサブルール（a）で言及された項目
	c.	サブルール（a）ないしサブルール（b）を裏付ける証拠
	d.	投資家ないし推進者、あるいは合弁事業参加者を望む人物の商業上、財務上のレファレンス（推薦状）
	e.	投資が行われる、生産ないしサービス事業に関連した細目
	f.	投資の持続期間;建設の期間
	g.	投資が行われる国内の場所
	h.	生産と販売で使われる技術とシステム
	i.	使われるエネルギーの形態と量
	j.	主要機械類、設備、原材料、そして建設期間中に使う必要のある同様の材料の量と価額。
	k.	必要とされる土地の形態と面積
	l.	事業の生産ないしサービスの推定年間量と価額
	m.	事業推進のための外貨の年間必須額と外貨獲得の推定価額

	n.	国内及び海外で販売される物資の推定年間量と推定年間価額、及び期間
	o.	経済的な正当性
	p.	現行関係法の諸規定に従って作成され、環境と社会的な影響の緩和のために履行する措置
	q.	国内で行われる投資の際に意図している組織形態
	r.	パートナーシップが形成される場合、パートナーシップ契約草案、パートナーにより拠出される資本の比率と規模、利益分配とパートナーの権利と義務
	s.	有限会社が形成される場合、契約草案、会社定款の草案、会社の授権資本、株式に形態、株主によって応募される株式数
	t.	投資が行われる組織の役員の氏名、国籍、住所、称号
	u.	投資が行われる組織の総資本、国内及び外国資本の比率、国内に持ち込まれる外国資本の総額、外国資本の各種形態の価額と、そうした外国資本が持ち込まれる期間

32. 市民ないし政府部署/組織とともに履行される土地リース契約の草案、及び合弁事業契約草案ないし相互に合意した契約に基づき実地される活動の草案は、その提案と一緒に付属書として提出しなければならない。

33. 委員会が大きな投資とみなす事業活動について、また環境保全・森林省によって環境影響評価が必要と規定された活動について、環境影響評価と社会影響評価を案の提出の際に付属書として提出しなければならない。

34 天然資源を基礎とした投資と、公営経済企業法が適用される投資について、提案は関係連邦省を通じて委員会事務局に提出しなければならない。

35. 規則(34)の状況と関係しない投資活動の提案は、投資家ないし推進者によって委員会事務局に直接提出できる。

36. 規則(35)によって提出される提案を受理する際、委員会は規定された細目が完全か否かをチェックするため精査し、完全ならば提案を受理する。完全でなければ、投資家ないし推進者には不足部分を説明させ、不足部分を矯正した後再提出させる。

37. 完全な提案の部門別の精査を可能にするため、委員会は以下の省庁の上級当局者を含む「提案精査パネル」を設置し、同パネルに精査を実施させる。

a.	投資・企業庁総局
b.	関税庁

c.	内国歳入庁
d.	労働局
e.	電力省の関係局
f.	人間居住・住宅開発局
g.	工業監督・査察局
h.	貿易総局
i.	事業評価・進展報告局
j.	環境保全局

38. 規則(37)による予備的な精査にあたって、政府部署と組織からの当該問題専門家が、必要ならば出席を招へいされる。

39. 総局長は提案精査パネルの長としての義務を引き受ける。

40. 提案精査パネルは7日ごとに会合を召集し、会合召集前の期間に受理した提案を精査し、提案を提出する。それは規則に応じてフォローアップするため委員会の承認を受けなければならない。投資家ないし推進者は承認の際に提案の受理を通知され、拒否の場合はその理由、そして委員会の提案について郵便あるいは他の何らかの通信手段で通知される。

41. 会合を招集する際、提案精査パネルは、推進者ないし投資家本人の出席、推進者あるいは投資家によって承認された人物の出席を義務付ける。

4-5 「営業許可」および「法人登記」申請

投資認可取得後に、営業許可と法人登記を同時申請

　全ての外国企業、その支店および合弁企業は、ミャンマー会社法に基づき国家計画経済開発省・投資企業管理局・企業登記室に「営業許可（Permit）」および「法人登記（Company Registration）」の申請を行わなければなりません（以前は「営業許可」を取得後に「法人登記」申請をしていましたが、現在は同時に手続きを進めるようになっています）。申請から許可までの大まかな流れは次のとおりです。

①「営業許可」「法人登記」書類作成
②企業登記室へ提出
③EC Meetingで審査
④Application for Permit
⑤資本金の送金
⑥送金確認・企業登記料支払い
⑦閣議で最終承認
⑧営業許可取得・企業登記完了

①「営業許可」「法人登記」書類作成
「営業許可」取得申請のための提出書類は以下のとおりです。営業許可証の有効期間は2年間です（2年ごとに更新が必要）。

　a）会社法規則添付Form A
　b）外国企業の基本定款・付属定款
　c）過去2年間の資借対照表と損益計算書
　d）資本構成委員会からの質問状への回答
　e）ミャンマーでの事業内容

f）事業開始年度の支出予定

（注）申請書類の内容は、進出する企業の形態（現地法人、支店など）によって異なります。特にb）について、支店の場合は、法人格が外国企業（親会社）にあるので、本国での登記書類など存在を証明する法的文書を本国より持参する必要があります（本国の定款は、在本国のミャンマー大使館で証明印を受領の上、ミャンマーで翻訳）。その上で、Form Aを作成します。一方、現地法人の場合は、ミャンマーで法人格を有するため、ミャンマーでの定款（Memorandum of Association および Articles of Association）を作成し、添付する必要があります（企業登記室に標準定款があります）。

　また、法人格の企業（外国企業、合弁企業、外国企業の支店）は「営業許可」申請に合わせ「法人登記」申請も行わなければなりません。なお、個人企業の登記は不要です。パートナーシップ企業については義務ではありませんが、登記が認められています。申請には以下の書類が必要とされています。

　a）基本定款および付属定款（ミャンマー語および英語）
　b）登記申請書
　c）ミャンマー語および英語書面のいずれかを原本とする旨の申請書
　d）登記企業の住所
　e）翻訳証明（注）
　f）登記企業の取締役および支配人のリスト
　g）企業登記室からの連絡を受ける者のリスト（外国企業支店の場合）
　h）公称資本金額および登記料支払証明書
　i）営業許可書のコピー

（注）翻訳証明書は基本定款・付属定款が外国でミャンマー語に翻訳された場合、その翻訳の誤りによるトラブルを避けるため、翻訳内容の正確性を証明するもの。日系企業がこの証明書を用意するには、企業登記官の信頼があり、かつ英語、ミャンマー語に堪能な弁護士および翻訳証明を依頼することが現実的な対応と言えます。

　株式会社の場合はこれに加え、事業開始以前に以下の書類の提出が必要です。
　j）取締役のリスト
　k）取締役就任同意書
　l）株式引受同意書（Agreement to take qualification shares）

②～④までの流れ

上述①での準備した書類を企業登記室に申請します（②：企業登記室から、国家計画・経済開発省内で大臣を中心とするEC meetingに申請書類が提出され、審議されます（③：審議後、以下の内容を記載した「Application for Permit」が発行されます（④：この間、内務省による審査が行われる模様。

イ）Condition Letter（会社設立条件提示および確認書）の受領および署名
ロ）（Condition Letterに同意した場合は）資本金（みなし資本金）の初回最低払込み（通常、総資本金の2分の1については、営業開始から2年以内（＝営業許可の最初の更新期限まで）に送金すればよい。

また、外国投資法の適用のためMICの投資許可を受けた企業は、資本金の送金額の指定はありません。MIC許可を受ける際に、事業計画を提出しているため、その計画に合わせて、送金なり、機械なりで資本金を計上すればよいことになっています（一度に資本金を100％持ち込むことも可能）。

⑤ 閣議での最終承認

企業登記室担当者は、閣議（Cabinet）に申請書類などを提出し、最終承認を得ます（最低1週間必要）。

⑥ 営業許可取得・企業登記完了

閣議の承認を得た後、1週間前後で企業登記室より「企業許可証（Permit）」が交付され、同時に「登記済証（Certificate of Registration）」が発行・交付されます。この「営業許可」「登記済証」は、2年ごとに更新する必要があります。更新費用は、500米ドル（現地企業の場合は50万チャット）です。

なお、申請者は、営業許可証、登記済証、ライセンス、登記申請書類の各写しおよびサイン権者のパスポート、写真2枚とCompany Seal（ゴム印で可）を当該銀行に持参、設立企業名の預金通帳が発行されます（一連の作業を銀行とコンタクト中に済ませておけば、登記完了次第開設が可能）。

＊過去にMICから30年などの長期投資認可を得て設立された企業に対しても、2008年末ごろから2年ごとの企業登記更新の義務を課すとの連絡があり、2009年末から同

義務が適用されています。長期投資へのインセンティブを削ぐ内容のため、2009年9月に実地された日緬官民合同貿易投資ワークショップでも日系企業側から問題点を指摘、改善要望を提出しています。

⑦ 閣議で最終承認

企業登記室担当者は、閣議（Cabinet）に申請書類などを提出し、最終承認を得る（最低1週間必要）。

⑧ 営業許可取得・企業登記完了

閣議の承認を得た後、1週間前後で企業登記室より「営業許可証（Permit）」が交付され、同時に「登記済証（Certificate of Registration）」が発行・交付される。この「営業許可」「登記済証」は2年ごとに更新する必要がある。更新費用は500ドル（現地企業の場合は50万チャット）。

注：「ミャンマービジネスガイドブック（2011-2012）」ヤンゴン日本人商工会議所、JETROヤンゴン事務所を参照。

【第5章】
CHAPTER.5

外国投資制度と金融事情

5-1 ミャンマーへの外国投資概況

中国、タイ、香港、韓国からの投資が先行。
日本からの投資は全体の1%程度

概況

　1990年以後の直接投資は、近年まで極めて低水準で推移してきました。欧米諸国からの制裁、アジア通貨危機、外国送金の問題、ハード、ソフトのインフラの未整備など、投資環境上大きな課題を抱えていました。

　2010年は約200億米ドルと大幅に増加しましたが、これは、エネルギー・資源分野で中国、韓国などの投資が急増したことによります。すなわち、天然ガス開発、中国向け石油・ガスパイプライン建設、水力発電開発、銅鉱山開発などです。ただ、この金額は、認可ベースであり、実行額は異なります。現に、認可後もろもろの事情で取り消されたプロジェクトもあります。

　1989年から2012年3月までの直接投資総額（認可ベース）は、約400億米ドルです。国別では、中国、タイ、香港、韓国の4カ国で約8割を占めます。特に、中国、タイの2カ国で6割近くを占めています。

　前述したとおり、欧米諸国の制裁中、中国、タイ、韓国などが急進してきたところです。先進国では、旧宗主国であるイギリスが一定の投資をしてきています（投資全体に占める割合は約6.7％）。

　日本からの投資は極めて低水準で、全体に占める比率は1％以下、また、国別順位においても10位以下です。すなわち、1989年から2012年3月まで、累積額は僅か2億米ドル強です。1990年代後半のアジア通貨危機、外貨送金の制限、ODAの再開の見込みが立たないことなどの理由により、低調でした。

　また、欧米諸国の制裁に追随して投資を引き揚げた企業も多かったと言われています。2011年に入り、ようやく縫製業で新規投資が認可されました。実に10年ぶりの新規投資でした。

また、実行ベースでは、2012年5月の時点で、1億1,400万ドル、分野別では家畜・漁業6,800万米ドル、製造業3,600万米ドル、ホテル・観光800万米ドル、その他200万ドルとなっています。

　なお、この項で利用しているデータは、特別の記載がない限り、ミャンマー国家計画経済開発省投資企業管理局（DICA;Directorate of Investment and Company Administration）の資料によります。

表5.1　外国投資の国別認可額（2012年11月現在、累計）

	国　名	投資（認可ベース）		
		件数	金額（100万米ドル）	構成比（%）
1	中国	37	14,147.629	34.14
2	タイ	61	9,568.093	23.09
3	香港	42	6,373.679	15.38
4	韓国	67	2,970.806	7.17
5	英国	54	2,799.185	6.75
6	シンガポール	78	1,858.830	4.49
7	マレーシア	43	1,031.285	2.49
8	フランス	2	469.000	1.13
9	ベトナム	5	349.796	0.84
10	インド	8	273.500	0.66
11	日本	29	246.837	0.60
12	米国	15	243.565	0.59
13	インドネシア	12	241.497	0.58
	その他	59	868.448	2.10
	合　計	512	41,442.150	100.00

出所：ミャンマー投資委員会（MIC）

業種別動向

　業種別に見ると、エネルギー、資源関係が上位を占めます。すなわち、電力（46%）、石油・ガス（34%）、鉱業（7%）となっており、これだけで、総額の8割を超えてしまうほどです。製造業の比率は、約4%と極めて低い水準です。

表5.2 外国投資の業種別認可額（2012年11月現在、累計）

	業種名	投資（認可ベース）		
		件数	金額（100万米ドル）	構成比（%）
1	電力	5	19,067.498	46.01
2	オイルおよびガス	113	14,181.972	34.22
3	鉱業	66	2,814.360	6.79
4	製造業	200	1,874.869	4.52
5	ホテルおよび観光	46	1,364.811	3.29
6	不動産	19	1,056.453	2.55
7	畜産および漁業	26	329.958	0.80
8	輸送および通信	16	313.906	0.76
9	工業団地	3	193.113	0.47
10	農業	9	182.751	0.44
11	建設業	2	37.767	0.09
12	その他サービス	7	24.692	0.06
	合　計	512	41,442.150	100.00

出所：ミャンマー投資委員会（MIC）

表5.3 外国投資の業種別実行額（2012年3月31日現在、累計）

	業種名	投資（認可ベース）		
		件数	金額（100万米ドル）	構成比（%）
1	電力	4	12,843.720	41.88
2	オイルおよびガス	58	13,355.828	43.55
3	鉱業	8	2,289.162	7.46
4	製造業	75	558.290	1.82
5	ホテルおよび観光	30	814.475	2.66
6	不動産	7	275.000	0.90
7	畜産および漁業	7	137.676	0.45
8	輸送および通信	2	179.113	0.58
9	工業団地	4	144.420	0.47
10	農業	7	64.946	0.21
11	建設業	—	—	—
12	その他サービス	4	7.061	0.02
	合　計	206	30,669.691	100.00

出所：ミャンマー投資委員会（MIC）

許可ベースと実行ベース

外資の許可ベースと実行ベースは、かなり差異があります。2012年5月末現在で、許可ベースでは累積額は467件、407億米ドルとされていますが、3月現在の実行額は、206件、307億米ドルとなっています。件数で約250件、金額で約100億米ドルの投資が許可を得て後、何らかの理由で実行されていないことがわかります。特に大きな差異があるのは、石油・ガス、鉱業、製造業です。

また、2012年5月末現在と11月末現在の許可ベースの投資額を比較すると、件数で45件（467件から512件）、金額で7億米ドルの増加を示しています。石油・ガスで4件（1億1,800万米ドル）、製造業36件（1億1,400万米ドル）の新規認可がありました。なお、1年前、すなわち2011年5月末では、許可件数は454件、金額は360億ドルでしたので、2012年に入り許可のテンポが上がっています。

これから、民主化の更なる進展、外国投資法の改正など外資導入対策の進展、制裁の解除などの条件がそろうことにより、資源・エネルギー分野での投資に加え、製造業、観光、不動産、農業、畜産業、工業団地建設、インフラ整備事業、IT分野などあらゆる分野での投資が活発に行われることが期待されます。

表5.4　外資の許可ベースと実行ベースの差異

	認可ベース		実行ベース	
石油・ガス	109件	140億米ドル	58件	133億米ドル
鉱業	66件	28億米ドル	8件	23億米ドル
製造業	164件	17億米ドル	75件	5.5億米ドル

出所：MIC資料を基に当センターにて作成

日本企業の進出状況

ヤンゴン日本人商工会議所によれば、会員数は、2012年12月現在63社と

なっています。さらに、2013年1月末で75社になるということです。この数字は、これまでのピーク、1998年度にはまだ達しませんが、2012年3月時点の53社に比べ、短期間に大幅な増加となっています。2012年に入り、駐在員事務所の進出が急ピッチで進んだことを示しています。さらに、現在手続き中のところも多いと言われています。駐在員事務所の設置など、当局の許可が得られないと登録されません。

　ミャンマー企業の名前での事業展開、委託加工方式による事業など実質上の日系企業の進出は、これを更に上回っているのが実情です。

　JETROでは、日系企業の進出について、対外発表を行った企業を整理しています。それを見ると、2012年に入り日系企業の進出の動きが急速に進展しています。この中で、帝国データバンクによれば、2012年10月現在で91社の進出が確認されています。

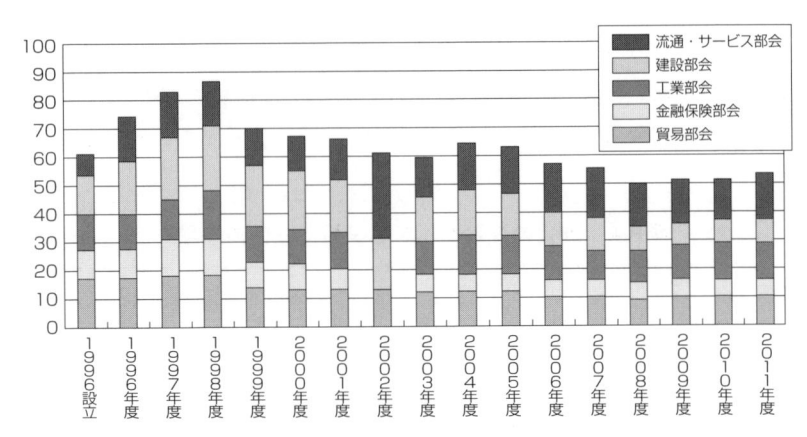

出所：ヤンゴン日本人商工会議所。会員数は年度末。

図 5.1　ヤンゴン日本人商工会議所　会員数推移

S-2 外国投資法の概要と最近の改正

新外国人投資法と同施行細則発表。
外資への門戸が広がり、投資環境の整備が徐々に整いつつある

　外国投資法は、1988年11月30日に交付されました。これは、大型の外国投資を行う場合の要件と優遇措置を定めたものであり、このため、同法に基づくミャンマー投資委員会（MIC）の認可を取得する必要があります。MIC認可企業などと呼ばれます。ただ、この場合でも、ミャンマー会社法による会社手続きが別途必要になります。

　2012年11月、外国投資法が改正されました。外国投資の導入はミャンマー経済の発展にとって不可欠であり、規制緩和が大きな課題ですが、一方、国内産業保護のために反対勢力もあり、調整は難航しました。大統領と議会側のやりとりのすえ、ようやく改正法が成立しました。

今回の改正のポイント（2012年11月）

(1) 最低資本金

　従来法（1988年制定）においては、最低資本金は、ガイドラインにおいて製造業50万米ドル、サービス業30万米ドルとされていましたが、今回の改正では投資委員会が業種に応じて最低資本金を定めることとされました。なお、細則において直接最低資本金を定めた規定はありません。

(2) 外資の出資比率

　従来法では、外資の出資比率は35～100％とされていましたが、今回改正では、禁止・制限業種に該当しない限り、100％外資の許可が得られることになりました。

また、合弁事業における外資の制限も撤廃しました。すなわち、従来外資は最低35％を占めなければならないとされていました。ただ、今回、細則において新たに定められた点は、禁止・制限業種において現地側と合弁において認められる場合、外国資本は80％を超えてはならないとされています。

(3) 優遇措置の拡充
　法人所得税の免税期間が3年から5年に延長されました。

(4) 禁止または制限業種
　今回、新たに禁止または制限業種が定められました（施行細則を参照）。
　一方、基本方針において、投資許可の際の原則が示されており、ここに国の政策の方向を見ることができます。

(5) 土地利用
　ミャンマーでは、土地は国に属しており、外国人の所有は認められず使用することのみが可能ですが、従来は国の土地のみが使用可能でした。今回、民間所有の土地も使用可能となりました（土地使用権）。なお、この点は、2011年9月の大統領令による改正を明文化したものです。
　また、使用期間は、最大70年まで延長されました（従来は、最大60年）。

(6) 外貨の送金
　外貨について、口座開設、外貨送金など関連する規定が定められました（従来は、MIC認可企業は、海外の送金は、投資委員会および中央銀行の許可が必要であるなど事実上困難でした）。

(7) ミャンマー人の雇用の確保
　今回の改正により、従業員に占めるミャンマー人の雇用割合が細かく規定されました。また、単純労働については、ミャンマー人を雇用することとされま

した。

その他、職業訓練、研修など従業員の技術の向上について細かく規定されています。例えば、熟練労働者の場合、ミャンマー人の割合は、初めの2年間25％、4年後50％、6年後75％とされています（103～104ページ参照）。

(8) 外国投資家の権利、義務

外国投資家は、保有する株式を外国人・企業、ミャンマー人・企業へ売却できる規定が追加されました。一方、土地利用において大規模な地勢上の修正を行わないこととされました。

(9) その他

旧法では、奨励業種のリストがありましたが、今回は削除されています。別途、投資許可の際の基本方針において方向が示されています（100ページ参照）。今回の改正では、「規則の定めるところにより」という箇所が多く見られます。例えば、第2章の禁止、制限業種のところで、3カ所この表現が用いられています。法律で明文上規定するのではなく、「規則」に委ねているわけです。

施行細則

2013年1月31日、施行細則が議会に報告され、公表されました。ミャンマー政府としては、法律の制定後90日以内に施行細則を定めるとされているので、多くの国の関係者、投資家の期待を受けて間に合わせたものと思われます。施行細則の作成過程において、多くの意見が寄せられたということです。

(1) 2本立ての構成

施行細則は、2つの部分から構成されています。すなわち、禁止・制限業種の詳細は、ミャンマー投資委員会（MIC）が通達を出しており、国家計画・経済開発省が、投資の形態、許可の申請手続き、審査などに関する詳細な通達を

出しています。なお、投資許可申請手続きに関しては、第4章を参照して下さい。

①禁止・制限業種

　投資禁止、制限業種に関するMICの通達は、以下のように規定しています。
・外国投資が禁止される21分野
・外国投資がミャンマーとの合弁のみによって認可される42分野
・投資の許可に当たって、各種の条件が付される分野、すなわち、
　A）事業所管省による意見書、連邦政府の承認が求められる115分野
　B）特定の条件のみで参入可能な27分野
　C）環境アセスメントが許可の条件となる34分野

を明示しています。

　このように、一応、禁止・制限業種が詳細に表示されましたが、業種の分野、規模などについて判断を要する領域もあり、所管省の意見を徴する分野は事実上当該省庁との事前の調整が必要になります。こうした見地から、投資を計画する際どの業種に該当するか、どの省あるいは地方政府（管区・州）に関わるかなど、現地専門家の協力をえて十分調査する必要があります。

②許可申請手続き

・許可の申請に際し、準備すべき書類が詳細に規定されています。経済的な正当性という項目もあります（本法において、MICは、15日以内に受理か拒否かを決定すること、受理後90日以内に許可の可否を決定するとされています）。
・許可申請を審査するため、関係省庁で構成される「提案精査パネル」が設けられます。パネルは、7日ごとに開催されるとされています。
・提案拒否の場合は、その理由を投資家に通知するとしています。
・手続きの迅速化のため、委員会事務局から意見を求められた地方政府、環境保全・森林省、その他関係省庁は、7日以内に回答するとしています。
・提案の精査は、法律に定める「基本方針」に合致しているかどうか、さらに、財務上の信頼性の評価、経済正当性の評価などについて行われます。

(2) 投資の形態

- 禁止・制限業種に該当しない場合は、100％の外国投資を認めています。
- 禁止・制限業種においても、合弁事業による場合は可能であり、この場合、外国資本は80％を超えてはならないとされています。

(3) その他

　法律に定める土地使用権、外国資本、外貨の移転などについて、細かく規定する他、投資委員会の構成、会合などについて規定しています。投資委員会は少なくとも月2回会合を開くとしています。

ミャンマー投資委員会（Myanmar Investment Commission：MIC）

　ミャンマー政府は、2012年9月23日付けで外国投資法に関わる業務を監督する目的でミャンマー投資委員会を発足させました。現在、同委員会は、**表5.5**に示すように大統領府大臣で元工業大臣のウーソーテインを委員長とする11名のメンバーで構成されています。

表5.5　ミャンマー投資委員会

委員長	ウーソーテイン（大統領府大臣）
事務総長	ウーティンナインテイン（大統領府大臣）
副事務総長	テューヤーウータウンールイン（鉄道庁副大臣）
委　員	ウーアウンミン（大統領府大臣）
	ウーラーテュン（大統領府大臣）
	Dr.テュンシン（可法長官）
	Dr.アウンテュンテツー（経済学者）
	ウーニュンーティン（元フランス大使）
	ウーウィンカイン（ミャンマーエンジニア協会会長）
	ドウーミャテュザー（国家計画経済開発省顧問）
	ドウーカインカインニュー（アントレプレナー）

国家計画経済開発省投資企業管理局（DICA）

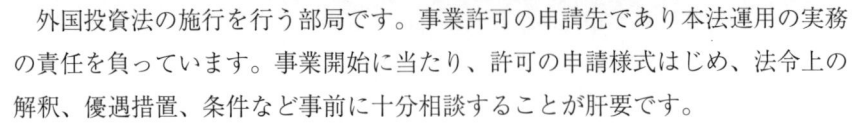

　外国投資法の施行を行う部局です。事業許可の申請先であり本法運用の実務の責任を負っています。事業開始に当たり、許可の申請様式はじめ、法令上の解釈、優遇措置、条件など事前に十分相談することが肝要です。

　また、投資委員会の事務局を務めます。

DICA（Directorate of Investment and Company Administration）
Address; Office Building No.32, Nay Pyi Taw
Tel; 95-67-406122　　Fax: 95-67-406123
Email; DICA.NPED@mptmail.net.mm
http://www.dica.gov.mm/index.htm

(参考) 外国投資法の概要

1　構成

　　この法律は、次の20章から構成されています。

第1章　定義規程
第2章　本法の適用事業
第3章　目的
第4章　基本方針
第5章　投資の形態
第6章　投資委員会の設立
第7章　投資委員会の責務と権限
第8章　投資家の義務と権利
第9章　許可の申請
第10章　保険の付保
第11章　従業員と労働者の雇用
第12章　税金の免除と減免
第13章　保障
第14章　土地使用権
第15章　外国資本
第16章　外貨の送金
第17章　外貨に関する事項
第18章　罰則規定
第19章　紛争処理
第20章　そのほか

2　主要事項の解説

　　ここでは、法律の主なポイントについて見ることにします。

1）定義規程

　　本法では、「外国資本」を外貨による現金の他、機械、機材、機械の一部分、

交換用部品などミャンマー国内で入手できないもの、ライセンス、著作権などの知的所有権、特殊な技術、配当から得られた再投資資金を含むと規定されています。

2）目的

豊富な資源を発掘し、国民のための活用、余剰分を輸出することを目的として、

・ビジネスの発展、拡大による雇用の拡大
・人材の開発
・インフラの整備（銀行、金融機関、他国の連絡する高速道路、電力、エネルギービジネス、情報技術を含むハイテク）
・国全体通ずる通信網、鉄道,船舶、航空機などの輸送ビジネスの研究
・国民と他国とのビジネスの協業
・国際標準にかなった経済事業、投資事業の実現

を図るとしています。

3）基本方針

以下の基準に即して、投資の認可が与えられるとしています。

・資金、技術の不足により、国内ではできない国家開発プロジェクト、ビジネスに貢献するものあること
・雇用機会の増大
・輸出の増大
・輸入の代替
・多額の投資を要する生産事業
・高度技術の習得、高度技術による製造の発展
・裾野産業、多額の投資を要するサービス業
・省エネルギービジネス
・地域開発
・新エネルギーの開発、採用、バイオエネルギーのような代替可能エネルギーの創設

- 近代工業の発展
- 環境の保護、保全
- 情報と技術の交流への貢献
- 国家主権と国民の安全を害さないこと
- 国民の知識と技術の向上
- 国際基準に合致する銀行、銀行事業の発展
- 国家と国民のため近代的なサービス事業の創設
- 短期、長期にわたる国内用のエネルギー、資源の確保

4）本法の適用事業

　禁止または制限業種が規定されています。

- 伝統的文化、習慣を損なう事業
- 国民の健康に害を与える事業
- 自然環境と生態系に影響を与える事業
- 危害または有害廃棄物を持ち込む可能性がある事業
- 国際協定上の危害を与える化学物質を製造する工場または事業
- 規則により国民が行うことされる製造業、サービス業
- 外国において試験中または使用承認が得られていない技術、薬品、物品を持ち込む事業
- 規則により、国民が行うことができるとされている農園、短期的、長期的農業
- 規則により国民が行うことができるとされている畜産、水産業
- 規則により国民が行うことができるとされている漁業
- 経済特区以外のところで、国境地域で国境から10マイル以内での事業

　上記事業について、投資委員会は、国家、国民の安全、経済発展、環境および社会的利益のため、政府を通じ外国投資事業を議会に提案できるとされています。

　なお、従前は、外国投資法による外資参入禁止・制限業種の規定はありませ

んでしたが、別途国営企業法において民間企業の参入を原則として制限しています。

5）投資の形態
・外国人は、投資委員会の承認により、100％投資を行うことができます。
・外国人は、国民または政府機関との合弁事業を行うことができます。
　次に、上記事業を行うに当たっては、
・現行法により、会社を設立しなければなりません。
・投資委員会は、外国投資について、業種の性質を考慮して決められる政府承認を得て業種ごとの最低資本金を定めることができます。
・また、外国人は、禁止、制限業種の事業の分野で合弁事業を行う場合、規則の定めるところに従い投資割合を提案することができます。

6）投資委員会の設置および主な役割
・政府からの適切な人物を議長とし、政府の関連省、部局、政府関係機関、非政府機関の専門家で構成する投資委員会が設置されます。
・委員会は、前述の基本方針の基づき、投資案件を審査します。
・6カ月ごとに、政府を通じ議会へ活動報告をします。
・投資奨励のため、適宜、政府に助言をします。
・政府の承認の下に、外国投資について、関連する管区（地域）、州政府と調整します。
・税の免除、減免の対象とならない事業を規定します。

7）投資家の義務と権利
・投資家は、事業実施のため現行法により会社を設立しなければなりません。
・投資家は、土地の借地権または使用権を委員会が定めた条件および契約に従って行使できます。
・許可を得た事業遂行のための土地、建物の転貸、抵当の付与、株式の譲渡には、投資委員会の許可が必要です。
・株式の全部売却する場合は、委員会の事前承認により、一旦、事業許可を返却したうえで、譲渡の登録をしなければなりません。また、一部売却の場合

も、同様に、委員会の事前承認が必要です。
- 投資家は、物品の売却、交換、委員会の承認を得た他の資産の譲渡を行うことができます。
- 委員会の承認を得て、当初の投資事業および資本の拡大をすることができます。
- 所有株の一部または全部を外国人または国民に売却できます。
- 現行法に基づく権利の十分な享受のため、再審査、あるいは修正を委員会に提起することができます。
- また、利益の享受または不服についての行動について、委員会に提起できます。
- 開発の遅れている地域あるいはアクセスが困難な地域での外国投資事業については、第7章に規定する税の減免期間を超えて享受できます。

8) 投資許可の申請
- 投資家は、外国投資を行う場合、規定に定められてところに従い、投資委員会にプロポーザルを提出しなければなりません。
- 投資委員会は、15日以内に受理か拒否かを決定します。
- 投資委員会は、90日以内に許可の可否について決定します。
- 投資委員会により許可が得られたとき、関連する政府関係機関または個人、団体と必要な契約を締結したうえで、投資が行われなければなりません。
  投資許可の申請には、申請書の他会社情報、投資計画の詳細および説明資料、銀行信用照会状、外国投資家の監査済み財務諸表、関連契約の書類、定款のドラフトなど書類を準備しなければなりません。政府の担当部局、国家計画経済開発省投資企業管理局；DICA（98ページ参照）と事前の相談が必要です。

9) 保険
- 投資家は、保険を付保しなければなりません。

10) 従業員と職員の雇用
- 熟練工、技術者、スキルを持つ従業員、国民を雇用する際のミャンマー人の

雇用割合は以下のようにしなければなりません。

　　初めの2年間　25％、4年後　50％、6年後　75％
・知識労働者の場合、投資委員会は、この期間を延長、縮減または修正することができます。
・仕事に熟練するため、職業訓練、研修を実施しなければなりません。
・熟練を要しない仕事については、ミャンマー人のみを雇用しなければなりません。
・専門のレベルに従い、外国人従業員とミャンマー国民の間で賃金の差を生じないよう管理しなければなりません。
・雇用条件として、最低賃金、休暇日数、定休日、残業手当、見舞金、補償金、福利厚生、その他の保険などを含む労働契約書を締結しなければなりません。

11）税金の免除と減免

以下のような税制上の優遇措置が規定されています。
・製造、サービスなどの事業について、開始後5年間所得税が免除されます。
・利益を留保し、1年以内に再投資する場合は、生じる利益に対し税が減免されます。
・原価償却をする権利が与えられます。
・製品を輸出する場合、得られた利益の50％まで税が減額されます。
・外国人の収入に対する税の控除措置は、ミャンマー人と同等とされます。
・研究開発について、その費用を課税所得から控除できます。
・第1項の税の減免に関し、2年間連続して生じた損失について、3年間の繰り延べができます。
・輸入機械、部品などについて、関税その他の国内税が減免されます。
・原材料について、事業立ち上がり後、3年間、関税およびその他の国内税が減免されます。
・輸出製品に対し、商業税が免除されます。

12）保証

事業の有効期間中は、国有化されないことが保障されます。
13) 土地使用権
・投資委員会は、事業、工業の種類、投資金額に応じて、50年間土地のリースまたは使用を認めます。
・投資委員会は、投資の種類、規模に応じて、上記の期間を10年間、終了後さらに10年間延長を許可することができます。
・投資家は、農業、畜産業を行う場合は、許可を得たミャンマー人と合弁でのみ行うことができます。
14) 外資について
・外貨による資本金は、銀行が承認する外貨の種類により、投資家の名義で投資委員会に登録されます。
・外貨の送金について、投資家は外貨取扱銀行を通じ、定められた為替レートで海外へ送金することができます。すなわち、対象となる外貨は、資本金として持ち込まれた外貨、資本金から持ち出すことを認められた外貨、毎年の利益から税、準備金などを控除した純利益、外国人従業員の給与のネットの残額です。
・投資許可により設立された経済組織に従事している外国人は、外貨取扱を許可されている銀行に、外貨の種類に応じて外貨口座を開設しなければなりません。
15) その他
　この法律を施行するため、国家経済開発省は施行後90日以内に手続き規定、諸規則、ガイドラインなどを公布しなければなりません。

外国投資禁止21分野などを明示-新外国投資法の施行細則を公表

○外国企業には投資が認められない21分野
(1) 防衛関連の軍需品製造および関連サービスの提供
(2) 環境破壊につながるビジネス
(3) 化学肥料法、種苗法、その他農業関連法に違反する製造業および農業
(4) 海外から輸入した廃棄物を利用したビジネスおよび工場設立
(5) オゾン層の破壊などにつながるような禁止物質の生産およびビジネス
(6) 残留性有機汚染物質に関するストックホルム条約により禁止されている有機物質の製造
(7) 海外から中古工場や中古設備を輸入し、環境保護法および細則で禁止され、周辺の環境に影響を及ぼすような危険物質を製造するビジネス
(8) 自然林の保護および管理
(9) 翡翠などの宝石の試掘、探掘、生産
(10) 中小規模の鉱物製品の製造
(11) アスベストでできた建築資材の製造および流通販売
(12) 電気配電網の管理
(13) 電気の商業取引
(14) 電気関連の点検サービス
(15) 環境や健康汚染につながる化学物質〔MTBE(メチル・ターシャリー・ブチルエーテル)やTEL(四エチル鉛)など〕を輸入、生産、使用するような精製事業
(16) 人体、公衆衛生に影響を与えるような汚染物質の生産・排出
(17) 川などでの金を含む鉱物資源の採掘
(18) 航空交通管制サービス
(19) 航海交通管制サービス
(20) 印刷業とメディア事業の一体運営
(21) ミャンマー語を含む固有の言語での雑誌などの印刷および出版

〈加工食品製造、オフィスビル建設など42分野は合弁のみ可能〉

　MIC通達では続いて、外国企業がミャンマー企業との合弁によってのみ認められる42分野を以下のとおり記載している。ミャンマー企業が多く携わる加工食品製造は、幅広い分野で合弁のみ可能とされている。また、オフィスビルや住宅用アパートなどの建設、販売なども合弁のみとなっている。これらの分野に関する合弁比率については、MNPED通達第3章第20条に「外資出資比率は80％を超えないこと」と規定されている。ただし当条項は、MICが政府の許可を得た場合に修正できるとも記されており、将来的に比率の変更の可能性はあり得ると言える。

　なお、最低資本金額・投資額については、合弁の場合のみならず、禁止・制限分野以外での100％外国投資が可能な場合でも、今回の細則には規定されていない〔外国投資法第10条（ⅲ）項で「外国人が投資する場合、MICは事業の性質に基づき、連邦政府の承認を得て事業分野により最低投資額を定める」とされている〕。

○外国企業がミャンマー企業との合弁によってのみ認められる42分野
(1) ハイブリッド種の製造および販売
(2) 固有種の製造および販売
(3) ビスケット、ウエハース、麺、マカロニ、その他麺類など、穀物加工食品の製造および販売
(4) あめ、ココア、チョコレートなどの菓子類の製造および販売
(5) 牛乳および乳製品以外の食品の製造、缶詰の製造および販売
(6) 麦芽および麦芽アルコール飲料の製造および販売
(7) 蒸留酒、アルコール飲料、清涼飲料などの生産、精製、ボトリングなど
(8) 氷の製造および販売
(9) 水の製造および販売
(10) 綿製の織物用糸の製造および販売

(11) エナメル製品、刃物類、陶器類の製造および販売
(12) プラスチック製品の生産および販売
(13) ゴムおよびプラスチック製造
(14) 包装ビジネス
(15) 合成皮革以外の皮革原料でつくる履物やハンドバッグなどの製造および販売
(16) 各種紙製品の製造および販売
(17) カーボン紙、ろう紙、トイレットペーパーなどを含む紙製品、段ボール製品の製造および販売
(18) 国内の天然資源を利用した化学製品の製造および販売
(19) 可燃性物質・液体・ガス・エアロゾル（アセチレン、ガソリン、プロパン、ヘアスプレー、香料、デオドラント、殺虫剤）の製造および販売
(20) 酸化化学品（オキシジェン、ハイドロジェン）および圧縮ガス（アセトン、アルゴン、ハイドロジェン、ニトロジェン、アセチレン）の製造および販売
(21) 腐食性化学品（硫酸、硝酸）の製造および販売
(22) 気体・液体・固体を含む産業用ガスの製造および販売
(23) 薬品の製造および販売
(24) ハイテクを利用したワクチンの製造
(25) 産業用鉱物資源の探査および試掘
(26) 大規模鉱物開発
(27) ビル建設、橋建設に使用するコンクリート製品および組み立て式鉄骨フレームの製造
(28) 橋脚、高速道路、地下鉄網などの輸送インフラ開発
(29) 国際水準のゴルフコースおよびレクリエーション施設の開発
(30) 住宅用アパート、コンドミニアムの建設、販売および賃貸
(31) オフィスビルの建設および販売
(32) 工業団地に隣接した住宅地区でのアパート、コンドミニアムの建設、販売

およびリース賃貸

(33) 一般大衆向け住宅の建設

(34) ニュータウンの開発

(35) 国内線航空サービス

(36) 国際線航空サービス

(37) 乗客および貨物用水上運送サービス

(38) 造船所での船舶の建設および船舶の修理

(39) 倉庫・港施設の建設および水上ポートサービス

(40) 客車および貨車エンジンの製造

(41) 民営の専門病院および伝統医療病院

(42) 旅行業

（注）MIC通達、MNPED通達は2月14日現在、ミャンマー語のみでの公表となっている。ここで紹介している内容は、ジェトロがミャンマー語の通達や独自に英訳したものを基に和訳している。また、現地法律事務所などが英訳したものも参考とした。近々、公式に英語版が発表されると思われる。

〈13省所管の事業に特別な認可条件〉

○関係省の意見書や連邦政府の承認などが求められる115分野

(1) 農業灌漑省：種の生産・販売、化学肥料工場建設・製造など7分野

(2) 畜水産省：養蜂・蜂蜜製品製造、魚網製造など5分野

(3) 環境保護・森林省：国立公園造成、木材加工産業・関連サービスなど18分野

(4) 鉱山省：鉱物の探索、試掘のためのフィジビリティー・スタディー、大規模鉱物資源開発など5分野

(5) 工業省：野菜・動物などから採った油（液体・固形）の生産・販売など10分野

(6) 電力省：水力・石炭火力発電所による発電と売電の事業（1分野）

(7) 運輸省：空港建設・乗客ラウンジ・サービス提供、航空機整備サービスな

ど23分野
- (8) 通信・情報技術省：国内・国際郵便サービス、通信ネットワーク・サービス（2分野）
- (9) エネルギー省：石油および石油製品の輸入・販売など5分野
- (10) 保健省：私立病院・専門医院など12分野
- (11) 建設省：オフィス/商業ビルの建設・賃貸、建築設計など6分野
- (12) ホテル観光省：国際観光、スパ、外国人対象のカジノ（3分野）
- (13) 情報省：外国語による定期新聞、社会科学関連書籍の出版など18分野

〇特定の条件下でのみ参入可能な27分野
- (1) 水牛、牛などの家畜飼育〔GAHP（Good Animal Husbandary Practice、適正な家畜飼養の基準）およびGMPにのっとること〕
- (2) 羊、ヤギ、鶏、豚などの家畜飼育（同上）
- (3) 動物飼料などの製造および販売（GMPに従い管理できること）
- (4) 家畜の病気予防や治療薬の製造（動物ワクチン、治療薬向けGMPのASEANガイドラインにのっとること）
- (5) 酪農業（GAHPにのっとること）
- (6) 牛乳および酪農製品の製造（乳加工施設のASEAN認証基準にのっとること）
- (7) 食肉処理場〔GMPに従いHACCP（Hazard Analysis Critical Control Point、衛生管理手法）にのっとること〕
- (8) 食肉加工（ASEAN認証基準にのっとった加工場で、密閉封鎖されたコンテナの食肉を使用すること）
- (9) 牧畜場用設備の製造（GMPにのっとること）
- (10) 養鶏場（商業養鶏場用のバイオセキュリティー管理マニュアルに従い、GAHPおよびGMPにのっとること）
- (11) 肉牛生産（GAHPにのっとること）
- (12) 淡水および海水のエビ養殖（環境を害さない手法にのっとること）

(13) 石炭の探査、採掘（国家とのJVの下、執り行う）
(14) 伝統的な家庭薬以外の薬の製造（最低限、WHO基準、GMPにのっとること）
(15) ワクチン、睡眠薬、向精神薬以外の薬の製造および販売（最低限、WHO基準、GMPにのっとること）
(16) 法律により認められた建物の建設および修復（ASEAN相互承認枠組み協定の規範と基準にのっとること。ミャンマー国家建築基準にのっとること）
(17) ホテル（三ツ星以上のホテルのみ100％外資を認める。他はJV）
(18) 海外から必要な原材料を輸入し農産物を生産すること、また、それらの国内での販売および輸出（高付加価値商品の生産のみ認める。JVの場合はミャンマー企業側が最低40％の出資をすること）
(19) 小売り（小規模小売りの形態には参入できない。スーパーマーケット、百貨店、ショッピングセンターの形態は認められる。ただし、ミャンマー企業による既存店舗から近接した場所では開店できない。国産の商品を優先的に購入し販売すること。JVの場合はミャンマー企業側が最低40％を出資すること）
(20) 自動車、オートバイを除く小売り（2015年以降のみ認める。最低300万ドル以上の投資とすること。免税措置なし）
(21) フランチャイズ（外国企業はフランチャイザーとしてのみ認められる）
(22) 倉庫（中小規模の倉庫業は認められない。JVの場合はミャンマー企業側が最低40％を出資すること）
(23) 卸売り（商業省の見解に従う）
(24) 代行業務サービス（事務所スペースは賃貸だけでなく、自社ビルを建設できる。ミャンマー国民をスタッフとして採用すること）
(25) 専門店以外の小売り〔百貨店とハイパーマートは5万平方フィート（1平方フィート＝約0.09㎡）以上、スーパーマーケットは1万2,000平方フィートから2万平方フィートの店舗面積を有すること〕

(26)専門店以外での食品、飲料（アルコールを含む）、ミャンマータバコなどの小売り（店舗面積：2,000平方フィートから4,000平方フィートまで）
(27)外国語の各種雑誌（JVの場合はミャンマー企業側が最低51％の出資をすること。3分の2以上の取締役、主要なスタッフはミャンマー人でなければならない。100％外資による出資の場合は、そのオーナーは外国出版社か印刷会社を所有していなければならない）

〈環境アセスメントが必要なもの〉
○環境アセスメントが認可の条件となる34分野（環境保護・林業省所管）
(1) 採鉱
(2) 石油、天然ガスの採掘
(3) 大規模ダムや灌漑施設の建設
(4) 水力およびその他の大規模発電事業
(5) 石油・天然ガスパイプラインの敷設および送電塔の建設
(6) 大規模農園
(7) 大規模橋・高架道路・高速道路・地下鉄・港湾設備・空港などの建設および用水路・大規模乗用車や造船の製造
(8) 化学品および殺虫剤の製造
(9) バッテリーの製造
(10) 大規模製紙用パルプ工場
(11) 大規模な綿製の織物用糸、織物、染色の製造
(12) 鉄、鉄鋼、その他鉄鋼製品の製造
(13) セメント製造
(14) 蒸留酒、ビールなどの製造
(15) 石油、その他燃料油、化学肥料、ろう、ワニスなどを含む石油化学工場
(16) 製糖工場を含む大規模な食品加工工場
(17) 皮革製品、ゴム製品の製造
(18) 大規模な海水・淡水魚およびエビ養殖、大規模な畜産飼育

(19) 大規模木材製造
(20) 大規模住宅建設
(21) 大規模ホテルおよびリゾート施設の建設
(22) 歴史、文化、考古学、化学、地理学に関連する記念施設の運営
(23) 浅水域での事業
(24) 生態系の影響を受けやすい地域での事業
(25) 国立公園、自然林保護地域での事業
(26) 生存危機にひんしている動植物に関する事業
(27) 自然災害のリスクが高い地域での事業
(28) 一般向け飲料用水に利用される川、池、貯水池から至近距離での事業
(29) レクリエーション地域、真珠養殖場から至近距離での事業
(30) 広大な農地を必要とする農作物の栽培および生産
(31) 大規模森林プランテーション
(32) 大規模木材産業
(33) 大規模発電事業
(34) 送電線建設

5-3 ミャンマーの税制

国税（所得税、商業税、関税など）と地方税からなる。
法人税は25％

　ここでは、ミャンマーの税制についてその概要を見ることにします。税には、①国内の生産・消費に対する税、②所得、所有に対する税、③関税、④国家の資産の利用に対する税があり、また、これらは国税と地方税に分類されます。

　主な国税は、所得税、商業税、関税の3つです。これが、ミャンマーの税の大宗を占めます。また、地方税は、地方行政が体系的に整備されていないため、各地域で事情が異なると言われています。

国税

(1) 所得税

・所得税の課税年度は、4月1日～3月31日です。
・納税義務者および課税対象となる所得の範囲は、以下のとおりです。

「居住者」；ミャンマー国民、外国人でミャンマーに居住するもの、ミャンマーで設立された法人

「非居住者」；非居住の外国人で、当該年度にミャンマー居住者から収入を得たもの、外国企業の支店（事実上、駐在員事務所）、非居住のミャンマー人居住者の場合、全世界での所得が対象となります。非居住者および外国投資に基づく企業の場合、国内の所得のみが対象になります。

・税率の概要は、**表5.6**のとおりです。

表5.6 所得税率の概要

納税者	収入の種類	税率(%)
国営企業	事業収入	25
ミャンマーで設立された法人（外資系を含む）	事業収入	25
外国投資法で認可された法人	事業収入	25
外国人（個人）	報酬	20
外国人（組織）	報酬	25
国民（居住者）	給与	1〜20（表5.6）
外国人（居住者）	給与	1〜20（表5.6）
外国人（非居住者）	給与	35
外国人（非居住者）	事業収入	35
協同組合	事業収入	2〜30（表5.7）

出所：ヤンゴンビジネスライブラリー（2012年版）
注）上記税率において、税率に幅があるものについては、最高税率に応じてそれぞれ累進税率が適用されます

表5.7 累進税率表1（2012年4月以降：1〜20％）

控除後所得（単位：チャット）	税率(%)	税額	累計税額
1〜500,000	1	5,000	5,000
500,001〜1,000,000	2	20,000	25,000
1,000,001〜1,500,000	3	45,000	70,000
1,500,001〜2,000,000	4	80,000	150,000
2,000,001〜3,000,000	5	150,000	300,000
3,000,001〜4,000,000	6	240,000	540,000
4,000,001〜6,000,000	7	420,000	960,000
6,000,001〜8,000,000	9	720,000	1,680,000
8,000,001〜10,000,000	11	1,100,000	2,780,000
10,000,001〜15,000,000	13	1,950,000	4,730,000
15,000,001〜20,000,000	15	3,000,000	7,730,000
20,000,001以上	20		

出所：ヤンゴンビジネスライブラリー（2012年版）

表5.7　累進税率表2（2012年4月以降：2～30％）

控除後所得（単位：チャット）	税率(%)	税額	累計税額
1～500,000	2	10,000	10,000
500,001～1,000,000	4	40,000	50,000
1,000,001～2,000,000	6	120,000	170,000
2,000,001～3,000,000	8	240,000	410,000
3,000,001～4,000,000	10	400,000	810,000
4,000,001～6,000,000	12	720,000	1,530,000
6,000,001～8,000,000	14	1,120,000	2,650,000
8,000,001～10,000,000	16	1,600,000	4,250,000
10,000,001～15,000,000	18	2,700,000	6,950,000
15,000,001～20,000,000	20	4,000,000	10,950,000
20,000,001～30,000,000	25	7,500,000	18,450,000
30,000,001以上	30		

出所：ヤンゴンビジネスライブラリー（2012年版）

(2) 商業税

　商業税は、ミャンマーで商業活動を行う全ての事業者に課されます。商品、サービスの販売、提供に課税される一種の付加価値税です。輸出入にも課されるところが特徴です。輸入品については、関税と同時に徴収されます。

　税率は、3～100％まで、品目ごとに細かく規定されています。原則として、5、10、20、25、100％の区分ごとに品目が定められています。ちなみに、100％の税率はタバコです。また、食品、農水産物など約70品目は非課税とされています。

(3) 関税

・全ての輸入品が対象となり、輸入貨物CIF価格の0.5％を加えたものが課税対象となります。投資委員会の認可を受けた投資案件に関連した輸入品、委託加工と認められた原材料の輸入などは、事前に手続きを踏めば、関税の減免が受けられます。

・関税の税率は、品目ごとに細かく規定されていますが、毎年発表されるものではなく、また、随時変更される可能性があるので、事業の都度、確認する必要があるということです。

(4) その他の国税

その他、次の国税があります。利益税,物品税、輸入ライセンス税、国営宝くじ税、運輸税、印紙税、土地税、水資源税、森林税、鉱物資源税、鉱物資源ロイヤルティー、水産税、ゴム税、宝石税

地方税

ヤンゴン市の場合、資産税,看板税、事業ライセンス、車両税が課されます。資産税の内訳は、ヤンゴン市内にある住居、宿泊施設に課されるもので、一般税、照明税、清掃税、水道税から構成されます。

また、事業ライセンス料は、業種ごと、売上の額ごとに細かく規定されています。

前述したように、地方に応じて状況が異なっていることから、事業に際しては地方ごとに地方税をよく精査する必要があります。

5-9 ミャンマーの金融事情

経済制裁が緩和される中、
改革が進む金融制度

金融機関

(1) 銀行

2013年1月現在、ミャンマーには、国営銀行4行（財政歳入省所管3行および農業省所管1行）および民間銀行19行（内8行が政府資本とミャンマー民間資本の合弁銀行、内11行がミャンマー民間資本100％の銀行）計23行（**表5.8**）が営業を行っています。ミャンマーでは新銀行設立が1997年以降認可されていませんでしたが、2010年に4行の設立が認可され営業を開始しました。一方、外国銀行は、現状100％外資の現地法人あるいはミャンマー資本との合弁銀行および支店の開設が事実上認められておらず、駐在員事務所あるいは出張所の形態でミャンマーに進出しており、現在28行が進出しています。

ミャンマーでは、1998年以降民間銀行による外国為替業務の取扱いが禁止され、国営銀行3行のみの取扱いとなっていました。しかし、2011年10月、民間銀行17行に対し店頭での両替業務が認可され、各行が本支店・空港での両替カウンターを開設するとともに、数行による共同両替センターがヤンゴン市内に開設されています。

また、2011年にミャンマー中央銀行が中央銀行法などに基づき民間銀行11行（その後3行追加され現在14行）に外国為替業務の取扱いを認可しました（外国為替公認銀行：Authorized Foreign Currency Dealers）。ただし、長い間、外国為替業務に携わっていなかったミャンマーの民間銀行は、海外銀行とのコルレス契約など海外決済に必要なインフラが未整備であったため、認可取得後、すぐには外国為替取扱いが可能ではありませんでした。ようやく、2012

年7月以降、ミャンマー中央銀行がその準備状況を確認した上で、実際の外国為替業務取扱いの認可を交付した民間銀行から、外貨預金（米ドル、ユーロ、シンガポールドル3通貨のみ）の開設、外国送金、そしてLC開設などの外国為替業務を開始することになりました。

また、国内業務も2003年の銀行危機後、業務規制が強化されてきましたが、2011年11月より国内のATMサービスが、2012年9月よりデビットカードサービスが一部の店舗で利用可能となっています。クレジットカードについては、キャッシングサービスが2012年11月より一部の民間銀行のATMにおいて利用可能となっており、2013年中の本格的なサービス提供に向けて準備されて

表5.8　ミャンマー国内銀行一覧（2013年1月末現在）

	銀行名	国営銀行	民間銀行	外国為替公認銀行	両替業務銀行
1	Myanma Economic Bank	○		○	○
2	Myanma Foreign Trade Bank	○		○	○
3	Myanma Investment & Commercial Bank	○		○	○
4	Myanma Agriculture & Rural Development Bank	○			
5	Asia Green Development Bank Limited		○	○	○
6	Ayeyawaddy Bank Limited		○	○	○
7	Cooperative Bank Limited		○	○	○
8	First Orivate Bank Limited		○	○	○
9	Innwa Bank Limited (*)		○	○	○
10	Kanbawza Bank Limited		○	○	○
11	Myanma Apex Bank Limited		○	○	○
12	Myanma Livestock and Fisheries Development Bank Limited (*)		○	○	○
13	Myanma Citizen Bank Limited (*)		○	○	○
14	Myanma Oriental Bank Limited		○	○	○
15	Myawaddy Bank Limited (*)		○	○	○
16	Small and Midium Industrial Development Bank Limited (*)		○	○	○
17	Tun Foundation Bank Limited		○	○	○
18	United Amara Bank Limited		○	○	○
19	Asia Yangon Bank Limited		○		○
20	Rural Development Bank Limited (*)		○		○
21	Yoma Bank Limited		○		○
22	Yangon City Bank Limited (*)		○		
23	Yadanarbon Bank Limited (*)		○		

(*) 政府資本とミャンマー民間資本の合弁銀行

います。また、国内店舗網の拡大も急速に行われており、民間最大手行のKanbawza Bankは、店舗数が95店舗（2013年1月末現在）となっています。

〈参考：ミャンマーのマイクロファイナンスについて〉

ミャンマーでは従来から国際NGOなどが貧困者へマイクロファイナンスを提供してきましたが、その整備のため2012年11月に「Myanmar Microfinance Law」が制定され、それに基づき約60社・団体に免許が正式に交付されました。同法では、貸付・預金などの業務内容他、金利上限・最低資本金（**表5.9**）について規定しています。なお、同法ではマイクロファイナンスへの外資参入を認めており、現在数社の外国資本が参入の準備を進めています。

表5.9　最低資本金と金利上限

最低資本金	預金取扱	30千万チャット（約35,300米ドル）
	非預金取扱	15千万チャット（約17,600米ドル）
金利上限	貸金	月利2.50％/年利30.00％
	預金	月利1.25％/年利15.00％

(2) 証券

1996年6月にミャンマーの国営銀行：Myanma Economic Bankと株式会社大和総研との合弁で設立したミャンマー証券取引センター（Myanmar Securities Exchange Centre Co.,Ltd.〈MSEC〉）が政府承認を受けて証券取引（株式および国債）の運営を開始しました。

ただし、現在ミャンマーにおいて株式の売買に関する規制がないため、公開企業（Public Company）の株式について各公開会社が売り手と買い手をマッチングさせることで株式売買を行っているケースも多くあり、MSECにおける株式売買は2社（Forest Products Joint Venture Co., Ltd.とMyanmar Citizen Bank Ltd.）にとどまっています。また、債券については民間企業の起債が認められているものの今まで起債された実績はなく、2年、3年、5年の国債（**表**

5.10）のみが発行されています。

表5.10　ミャンマー国債の金利（2012年12月末現在）

期間	2年	3年	5年
金利	8.75％p.a.	9.00％p.a.	9.50％p.a.

　なお、ミャンマー政府は2015年のASEAN経済共同体の発効を展望し、証券取引市場の整備を始めており、現在「ミャンマー証券取引法」の制定を予定しています。また、2012年4月にミャンマー中央銀行と大和証券グループ（大和総研）および東京証券取引所グループは、ミャンマーにおける証券取引所設立および資本市場育成支援への協力に関する覚書を締結、2012年8月にミャンマー中央銀行と日本の財務省が証券市場整備に協力する覚書を締結し、日本との協働により証券市場の整備を進めていくことになっています。

(3) 保険

　保険は、現在、国営公社（Myanma Insurance）のみが営業を行っています。ただし、2012年5月の保険業の規制緩和（**表5.11**）により外資を除く民間会社の保険事業参入が認められるようになり、9月に認可を取得した民間保険会社12社が新規参入の準備をしています。

表5.11　民間会社の保険業への参入の規制緩和概要

参入可能保険分野	自動車、火災、現金輸送、生命保険などの6分野		
財務要件※	損害保険	最低資本金	400億チャット
	生命保険	最低資本金	60億チャット
	損保生保兼営	最低資本金	460億チャット

※なお、資本金の10％は預金口座に維持、30％については国債を購入必要あり

ミャンマー進出企業への金融サービス

(1) 銀行口座開設

　ミャンマーに進出する外資企業は、従来、外貨口座を民間銀行に開設出来ないことおよび資本金を投資認可の際に指定されるMyanmar Foreign Trade Bank（MFTB）あるいはMyanmar Investment & Commercial Bank（MICB）にしか送金出来ないことにより、MFTBあるいはMICBに銀行口座を開設し、銀行取引を行っていました。しかし、上述のとおり民間銀行で外貨口座を取扱うことが可能となったこと、そして2012年10月23日のミャンマー投資企業管理局の通達により外国為替公認民間銀行への送金が認められるようになったことから、民間銀行に銀行口座を開設し、銀行取引を行う企業が増えてきています。ただし、民間銀行ではミャンマーの国営企業などとの合弁企業あるいは政府関連機関の銀行口座の開設は禁止されており、これらは国営銀行としか銀行取引ができません。

　また、銀行口座は、外貨口座に加えチャット口座の開設も可能となっています。口座開設には、会社登記局が発行する会社登録済書などのコピーが必要で、会社設立時にまだ入手できていない企業は送金された資本金を一旦、銀行別段預金に入金し、会社企業登録局に資本送金入金証明などを提出。その後、会社登録済書の交付を受けて口座が開設され、別段預金から資金が振り替えられて、初めて送金された資本金が利用可能となります。

(2) 国内銀行取引

　現金取引は、チャット口座については入出金の制限がなく、一方、外貨口座については、入金は特段の制限はありませんが、出金はチャット口座への振替などに利用できるものの、現金の引き出しに制限がある場合があります（米ドルの場合：1日当たり1万米ドル、1週間当たり2回まで）。国内送金については、全銀行間一括ではなく、個別に送金可能銀行および支店が各銀行で決めら

れています。また送金については同行本支店であれば1～2日で送金可能ですが、他行宛送金の場合、1週間程度掛かる場合もあります。国内の外貨送金は、民間銀行間での外国送金についてはまだ難しいのですが、国営銀行と民間外国為替公認銀行との間では取り扱っているケースもあります（ただし、取引に1週間以上掛かるケースもあります）。

(3) 米ドル建取引

　ミャンマーとの米ドル建取引については、米国財務省による規制（OFAC規制）が存在し、取引の内容・相手によっては、米銀による資金凍結や決済拒絶のリスクが残存します。また、一般論としてミャンマー関連取引を自主的に制限している銀行も多いようです。ただし、昨年来の経済制裁の緩和により、米ドル建の外国送金について資本送金、貿易送金などの取り扱いを開始している銀行が出てきています。なお、現在OFAC規制によって資産凍結対象者に指定されている7行が関与する米ドル建て取引の取り扱いは以下のとおりです。表5.8に記載の1、3、5、6の4行については、2013年の2月に規制が緩和され、新規の取引については米ドル建てであっても特に制約なく取り扱いができるようになりました。一方、表5.8に記載の2、9、15の3行については、非米国金融機関における同行名義の口座によって決済される送金以外には、米ドル建て取引が認められていません。

〈参考：欧米のミャンマー宛経済制裁〉

　従来、欧米諸国はミャンマー製品の輸入禁止、新規直接投資の禁止、特定の制裁対象者との取引禁止、金融サービスの制限（米国のみ）などの経済制裁を実施していましたが、ここのところ、一部の経済制裁解除あるいは停止の動きがあります。

　EUは、2012年4月23日に武器禁輸措置を除き、経済制裁を2013年4月30日まで停止することを発表しました（全面発効は5月15日）。一方、米国は2012年2月6日に世界銀行など国際機関による活動などの支援を可能とし、4月17

日に民主化支援や人道・開発援助などを目的とした非営利活動に関する金融規制を解除しました。そして、5月17日にはクリントン米国務長官が米企業・個人による新規投資と金融サービスに係る規制を停止する方針である旨を表明、7月11日米政府が正式発表しました。また、ミャンマー製品の輸入禁止措置については8月に1年間の延長を議会で決定していたものの、9月26日にクリントン国務長官が訪米中のテインセイン大統領にミャンマー製品の禁輸措置を緩和することを表明、11月16日に一部商品（翡翠など）を除くミャンマー産品の輸入を解除しました。

(4) 2012年度版外国為替管理法

2012年8月10日、1947年版外国為替管理法を改正し、2012年版外国為替管理法が制定されました。また、11月8日外国為替公認銀行向けに施行細則が公表されました。同法においては、ミャンマー中央銀行の権限・役割・責任および管理業務、外国為替管理業務、外貨口座、外国為替取扱ライセンス、経常為替取引、資本取引、罰則規定などについて規定されています。さらに、施行細則においては、海外送金規制、外貨預金から現金引出金額、非居住者口座の開設要件、各種銀行手数料が中央銀行から外国為替公認銀行に通知されることおよび外国為替公認銀行での手続きなど詳細が通知されています。

（参考：施行細則における海外送金規制）
　下記経常為替取引は、外国為替公認銀行にて判断、実行可能です。
　①貿易、サービスに関する送金
　②対外借入に関する金利および配当等送金
　③対外借入の元金の送金
　④国内から海外居住家族への生計費の送金

(5) 融資取引など

ミャンマーの銀行からの現地通貨建の融資は制度上可能ですが、原則借入に

は不動産担保（＊）が必要であり、外資企業の不動産保有が認められていないことから、外資企業の現地調達は事実上困難になっています。
（＊）2011年、担保規定改定で不動産に加え、商品（Commodities）および金（Gold）も制度上は担保として可能となりました。

　また、海外からの調達については、個々にミャンマー投資委員会の承認が必要で、金融機関からではなく親会社から調達している事例はあります。
なお、貿易取引における輸入LCの開設は外国為替公認銀行で可能ですが、原則100％の現金担保が必要となっています。

外国為替市場

　ミャンマー・チャット相場は1972年に固定したSDR（1SDR＝約8.5チャット）を元に決定された公定レートの他、政府公認レート、実勢レートなどの複数の為替レート（**表5.12**）が存在していましたが、2012年4月に実勢レートに為替相場が一元化され、1日の変動幅を一定範囲以内に抑える「管理変動相場制」へ移行しました。ミャンマー中央銀行では、国営銀行および民間銀行によるレートオークションを毎日行い、対米ドル参照レート（同行HP：http://www.cbm.gov.mm/で確認可能）を公表することになりました。各銀行は、両替レートについては参照レートから上下0.8％、送金レートについては上下0.3％の変動を許容されています。

表5.12　2012年3月末までの多重為替レート

公定レート	1米ドル＝5～チャット	外国資本が外貨を国内に持ち込む時あるいは輸出入貿易など外貨取引に関する換算に利用されるレート
政府公認レート	1米ドル＝450チャット	外貨兌換金（FEC）両替、輸入関税算定時などに適用されるレート
市場実勢レート	1米ドル＝約820チャット（2012/3/末現在）	日常の両替、輸出入など通常の経済活動に適用されるレート

出所：ミャンマー中銀HPを参考に三井住友銀行作成

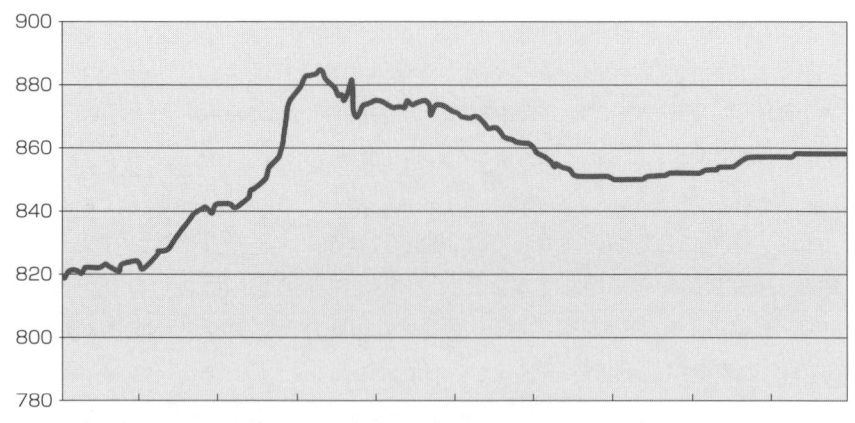

図 5.2　ミャンマー・チャット対米ドル相場（2012年4月2日以降）

出所：ミャンマー中央銀行発表のReference Exchange Rateを基に三井住友銀行作成

なお、為替相場一元化以降も、当初輸入為替のための若干割高なレートが一部残置していましたが、最近においてはほぼ一元化されてきています。

日本から送金する際の問題点

日本からのミャンマー宛送金については、従来、米国経済制裁の影響により、OFAC規制に定める一部の例外を除き、米ドル建てでは取り扱いができませんでした。ただ、米国経済制裁の緩和を受けて、2012年8月より三井住友銀行がミャンマー民間銀行Kanbawza Bank宛の送金の取り扱いを開始するなど、日本から米ドル建て送金を取り扱う金融機関が出てきています。

しかし、まだ特定の銀行間における送金に限定されている上、送金内容について、事前に金融機関から詳細の連絡を求められるケースもあり、また入金までの日数が掛かることから、引き続きミャンマー宛送金については、取引金融機関に早めに相談しておく必要があります。

【第6章】
CHAPTER.6

ミャンマーの開発動向

6-7 工業団地の開発動向

現在の工業団地は約30カ所。
今後、7カ所の工業団地の新設を決定

7つの一般工場団地を新たに開発

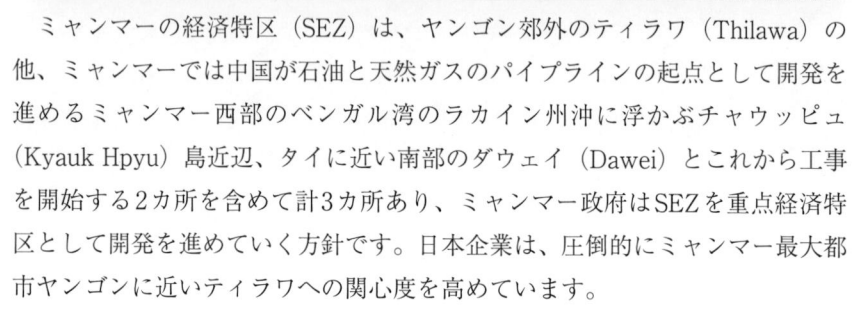

　ミャンマーの経済特区（SEZ）は、ヤンゴン郊外のティラワ（Thilawa）の他、ミャンマーでは中国が石油と天然ガスのパイプラインの起点として開発を進めるミャンマー西部のベンガル湾のラカイン州沖に浮かぶチャウッピュ（Kyauk Hpyu）島近辺、タイに近い南部のダウェイ（Dawei）とこれから工事を開始する2カ所を含めて計3カ所あり、ミャンマー政府はSEZを重点経済特区として開発を進めていく方針です。日本企業は、圧倒的にミャンマー最大都市ヤンゴンに近いティラワへの関心度を高めています。

　中国がチャウッピュ建設した深海港は水深が40mあるとされ、30万トンDWT級のタンカーも入港できます。また、チャウッピュ湾のパイプラインの出発点であるマデ（Made）島には、巨大な原油基地が建設されています。このミャンマー西部のチャウッピュ開発は中国の資源確保が主目的で、ダウェイで計画されているような化学コンビナートや工業団地を造成する計画はありません。

　チャウッピュから雲南省へのパイプラインに沿って、物資輸送やパイプラインのメンテナンスを主目的とする鉄道建設計画もあります。また、ミャンマー産の天然ガスと中東から輸入する石油を運ぶ2本のパイプラインで資源を輸出する計画も進んでおり、同時にダウェイに比較的近いアンダマン海からタイまでの天然ガスのパイプライン輸出が稼動中です。中国のパイプラインが本格稼動すれば、ミャンマーは大きな安定した外貨収入を当面2カ所から得ることになるでしょう。

　労働集約型の製造業の投資を重視しているミャンマー政府は、SEZでも工業

団地が併設されるティラワやダウェイの開発を重視しています。中国やタイなどで労働者不足に直面している日系製造業の投資を受け入れていくためにも、まず工業団地の整備など、ミャンマーで遅れているインフラを早期に拡充させる必要があるとミャンマー政府は認識しているようです。

工業団地（Industrial Zones）はミャンマー各地に約30カ所ありますが、他に7カ所の一般工業団地を新たに開発することが決定しています。

上記の工業団地の開発に関心を示している国は2013年初の時点ではまだないようですが、ミャンマーの国家計画経済開発省などでは、新たな工業団地については日本の高い技術で道路、配電、廃水処理設備などのインフラをつくってもらいたいとの期待があるようです。

表6.1　工業団地（IZ）一覧

ザガイン地域	Kalay IZ
タニンダーイ地域	Myeik IZ
バゴー地域	Pyay IZ
マグウェー地域	Ye Nan Chaung IZ、Pa Kyauk IZ
マンダレー地域	Mandalay IZ、Monywa IZ、Meik Htila IZ、Myin Gyan IZ
モン州	Mawlamyaine IZ
ヤンゴン地域	Shwe Pauk kan IZ、North Okkalapa IZ、Dagon Seikkan IZ、South Dagon-2 IZ、South Okkalapa IZ、South Dagon IZ、Shwe Pyi Thar IZ、North Dagon IZ、Thar Kay Ta IZ、Western Yangon IZ、Southern Yangon IZ、Northern Yangon IZ、Shew Pyi Thar IZ（Zone-1）、Insein IZ（Zone 2,3,4）、Mingalardon IZ、Pyin Ma Pin IZ、Hlaing Thar Yar IZ（Zone5）、Shew Lin Pan IZ
シャン州	Taunggyi IZ
エーヤワディ地域	Hinthada IZ、Myaun Mya IZ、Pa Thein IZ

出所：日本アセアンセンター

日系のミンガラドン工業団地は完売

　ヤンゴン市中心部から北に約20km、1998年2月7日にミャンマー唯一の日系工業団地として公式オープンしたヤンゴン郊外の「ミンガラドン・インダストリアル・パーク（MIPC）」は、ティラワのコンテナ・ターミナルまでは約50km、ヤンゴン港へは24km、国際空港へ7km、鉄道のミンガラドン駅へも徒歩20分という位置にあります。MIPCに進出している企業は現在10社（うち日系5社）で、近年進出を決めた日系の衣料やロジスティクス企業なども8社あり、2012年3月に完売しています。当初、MIPCを開発した三井物産が政府から得た同団地の土地リース期限は2048年2月7日までであり、あと35年間は工場用地を借用できます。

　かつて、突然のミャンマー国内での販売禁止令で生産を中止したままになっている味の素も、現在休眠中の工場を3倍に拡張して本格操業を再開するようです。三井物産が撤退するまでのMIPCでは、三井物産が45％、ミャンマーの建設省施設・住宅開発局（DHSHD）が40％、シンガポールのホンリョン（Hong Leong）グループやケッペル（Keppel）グループが出資していましたが、2012年11月時点ではDHSHDが88.89％保有している他は、シンガポールのKEPVENTURE社だけが11.11％を出資しています。

　DHSHDは、何もない荒地だった首都ネーピードーに、多数の公務員宿舎などを建設するなど、短期に首都をつくり上げた局です。

　MIPCでは、オープンに当たり送電線も自前で整備してきたことから電気が優先的に供給され、停電がない工業団地として知られていました。しかし政権が代わり民主化が進む中で、工場より市民への電力供給が優先されるようになり、MIPCでも停電が発生、4～6月の乾季には夜間の電力が供給されず、同期間の夜間操業は自家発電で行うしかないのが現状です。

　現在、日立グループや東洋エンジニアリングのタイ法人などが、ヤンゴン近辺での火力発電所の修理や新規発電所の建設を始めており、数年以内にはヤンゴンの電力事情はかなり改善される見通しです。

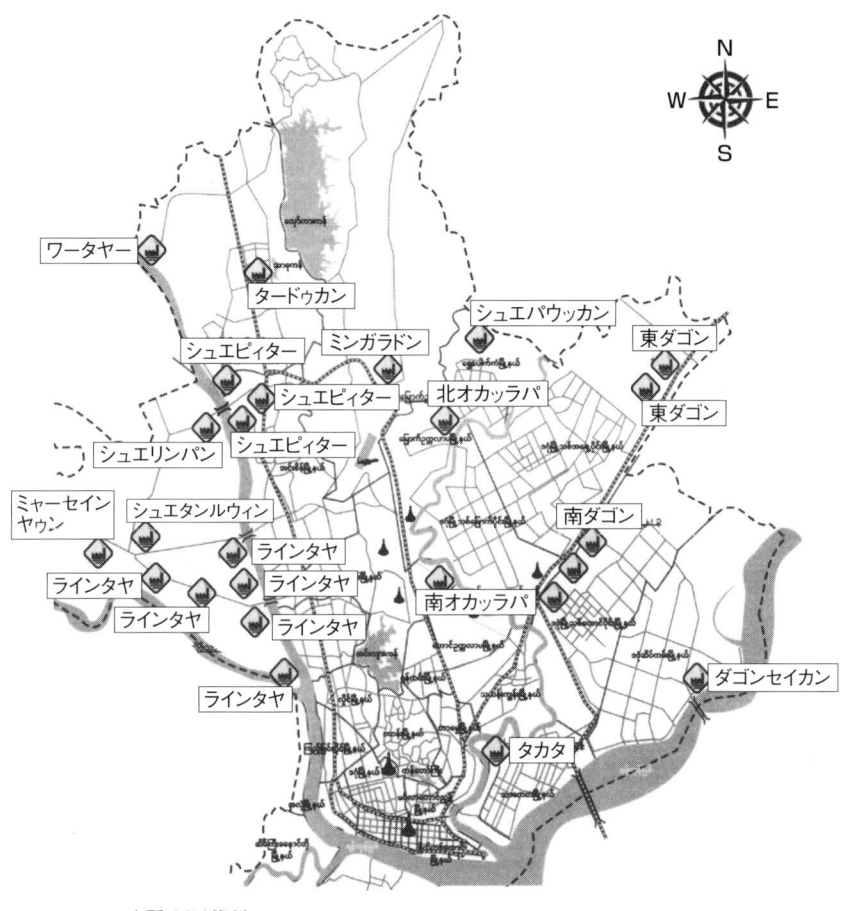

出所：MIA資料

図6.1　ヤンゴン地域の工業団地地図

6-2 ティラワ経済特別区

日本が官民挙げて開発。
2015年からの入居開始を目指す、期待の工業団地

　ヤンゴンの中心部から南東に25kmに位置するティラワ（Thilawa）経済特別区（SEZ）建設は、日本が官民挙げて取り組み、テインセイン大統領の2015年に工場の操業開始してほしいという熱い期待に応え、2013年中にも工場用地の販売を開始する計画です。ティラワSEZは、ミャンマー最大都市として市場も大きなヤンゴンからすぐという便利な場所にあり、広いヤンゴン川に面した港から16kmの南下でインド洋につながっており、シンガポールやインドなどに向かう物流拠点でもあることから注目度が高まっています。

　ティラワSEZは、日本政府がマスタープラン作成に協力、大手総合商社を中心とする日本企業連合によって開発されます。ミャンマーでこのほど成立した「外国投資法」改正法の運用と、現行SEZ法と今後の同法の改正で守られるSEZ内への進出に企業が注目するのは当然のことでしょう。

　ティラワSEZの面積は2,400haと、日系企業の進出が多いアマタ・ナコーン工業団地（タイ・チョンブリ県）と同じ面積です。

　2012年4月20日、テインセイン大統領は東京で開催された首脳会談において、日本政府が25年ぶりの円借款再開に向けて過去最大規模となる約3,000億円ものミャンマー債権を放棄、両国関係の強化を図ることに合意しました。テインセイン大統領はその後、日本の技術と日本企業のミャンマー進出意欲に期待してティラワの開発を日本に任せる決断をしました。ティラワ開発に関心がある中国や韓国などが参加する国際入札を行わず、三菱商事、住友商事、丸紅などによる日本連合で開発を進めることが内定しています。

　日本政府とミャンマー政府は、ティラワ経済特別区（SEZ）を両国政府が協力して進めていくため、2012年12月21日、「ティラワ経済特別区開発のための協力覚書」にヤンゴンで署名しました。その後、ティラワSEZ調整委員会

の第1回会合が開催され、ティラワSEZ開発で共同事業体を設立すること、並びにミャンマー政府がティラワSEZの開発権をその共同事業体に付与することが決定されました。両国の投資家は、ティラワSEZの開発者として2013年第1四半期に共同事業体を設立し、2015年にティラワSEZの正式開業を予定しています。この共同事業体はSEZ内でインフラを整備し、ミャンマー政府はSEZ外部の支援インフラを整備します。また、調整委員会では経済産業審議官とティラワSEZ委員長が共同で議長を務めることになっています。

JETROでは2012年6月21日、ティラワ経済特別区に関する全ての情報を日本企業に提供する情報連絡会を設立、事務局をジェトロ進出企業支援・知的財産部内に設置しました。

ティラワ開発の強みは、ミャンマー最大都市であるヤンゴンに近く、国際港、道路といったある程度のインフラが既に稼働している点にあります。欠点は河川港のティラワ港が深海港といっても水深10m程度であり、大型のコンテナ船が入港できないことです（全長は1,000mで、2万トン級の船舶5隻は同時に接岸可能（5バース））。河口とティラワ港の間には水深が6mしかない場所があり、ティラワ港は常時浚渫作業が欠かせません。国際港が既に稼働して

ティラワ経済特別区（SEZ）に掲げられた看板

いる点では他の2カ所のEPZに比べて先行しており、750mあるコンテナなどの置き場もあります。

　ティラワ港には現在、フィーダー（近距離）航路しかなく、シンガポールなどのハブ港でコンテナを積み替える必要があります。かつてのMITTではコンテナよりも丸太、セメントといったバルクの取り扱いが多かったのですが、近年、日本からの中古車輸入が合法的に認められその価格も大幅に下がったため、港（隣接地）には輸入された多数の日本製中古車が置かれています。

　また、同港は、シンガポールのC&P社と香港のハチソン社が建設したコンテナ港のMITT（ミャンマー・インターナショナル・ターミナル・ティラワ）で、ガントリークレーン2基などのクレーンを装備、日々数隻のコンテナ船が入港していますが、コンテナ取扱量としては圧倒的にヤンゴン市内のヤンゴン川のヤンゴン港の方が多くなっています。

　JICAの事業化調査（F/S）などティラワ開発のマスタープランはいくつかできているようですが、製造、商業、住居地域に分けて開発される見込みです。JETROによるとティラワ付近の土壌はラテライトで工業団地に適してはいますが、海が近いことからティラワ工業団地内の地下水に塩分が混じるおそれがあり、海岸からどの程度離れると塩分がない水が得られるかも調査中とのことです。まずは、約400haの土地を優先的に開発することになりそうです。

　ティラワでの労働力の確保について、ミャンマー政府担当者は、周辺地域に12万人、ヤンゴン市の人口は2010年時点で450万人、人口増加率は2.5％とヤンゴン市周辺の人口が労働力の供給源となるとしています。ある専門家は、ティラワは海に近いので洪水の心配こそないものの、台風、津波のような自然災害には弱いので対策が必要であり、土壌が軟弱なため重い機械を置く工場としては不向きな場所もあると指摘しています。

6-3 ダウェイ経済特別区

**東南アジア最大の工業団地を目指して開発へ。
タイ、韓国など諸外国が支援強化を表明**

　ミャンマー最南部、タニンダーイ（Tanintharyi）地域のダウェイ（Dawei）において開発されるダウェイ経済特別区（SEZ）が、当初計画より1年遅れとなる2013年4月に着工される計画です。これは、タイ最大手のゼネコンであるイタリアンタイ（ITD=Italian Thai Development）社が75年間の開発権を得て工事を請け負い、アジア最大級の臨海工業地帯（面積250km²）を開発する巨大プロジェクトです。

　同SEZの開発は、2008年5月、ミャンマーとタイの政府が覚書（MOU）に署名、同年6月にミャンマー港湾公社（運輸省）とITDがMOUに署名しスタートしました。その後、2010年10月にはタイのアピシット首相が首都ネーピードーを公式訪問しダウェイ・プロジェクトへの認可を希望、同年11月にはミャンマー港湾公社とITDが深海港・工業団地・タイへの道路と鉄道のBOT方式による開発で枠組み合意をしています。これを受け、ミャンマー政府は2011年1月にダウェイ経済特区（DSEZ）法を制定しました。

　一方、ITDは2011年6月、JETRO東京本部において初の説明会を開催、同プロジェクトへの日本企業の参加を呼びかけました。ITDは「ダウェイ・プロジェクトにおいて日本企業を最優先したい。当社が（バンコク郊外の）スワナプーム国際空港を建設したときも日本企業との合弁で成功した。タイには7,000社もの日本企業が進出しているので多くの日本企業に関係してもらいたい。日本の重工業から軽工業まで、全ての業種を歓迎する」と語っていました。

　当時のITDの構想では日本企業などの参加を得て、2012年の初頭には本工事に本格着工、5年間で第1期工事を終え、工期をダブらせながら2020年のプロジェクト終了をメドに第3期までの工事を進めるという計画でした。しかし

ダウェイ開発のプロジェクトは総額580億ドル（約5兆円）以上を投入する大事業で、当初に建設する深海港やダウェイ（Dawei）SEZだけで86億ドルが必要とされています。タイのサイアム商業銀行に資金調達計画策定を依頼、同行が協調融資（シンジケートローン）をまとめて日本の金融機関からの投資に期待しましたが、2013年初でも資金の見通しはたっていないようです。

ITDでは「今後、韓国、インドなどにも参加を募っていく。最初に手を挙げてくれるところを優先する」と語っています。その後、2011年11月にインドネシアのバリ島で開催された第3回・日メコン首脳会議で、野田首相（当時）は「ダウェイ開発に関する総合開発調査を実施する」ことを表明しましたが、その後の日本は先のティラワ開発を優先しているのが現状です。

2012年11月には、ダウェイ経済特別区開発を進める両国政府による初の合同委員会がバンコクで開催されました。タイのティラット副首相兼財務相とミャンマーのニャントゥン副大統領が委員長を務める合同ハイレベル委員会（JHC）、ニワッタムロン首相府相とミャンマーのエーミィン工業相が委員長を務める合同調整委員会（JCC）が開催され、インフラ、エネルギー、貿易・投資、資金調達、工業団地、地域社会・環境という6分野での小委員会を設置、3カ月以内に基本計画を策定し2013年4月の着工を目指すことが決定されました。

合同調整委員会に出席したミャンマーの某閣僚は、「プロジェクトを完成させるためには中国の資金援助も歓迎したい」とし、韓国の李明博（イ・ミョンバク）前大統領も11月10日にバンコクで行われたインラック首相との会談で、「ダウェイ開発を支援できる」と語っています。

2012年12月、タイのインラック首相はダウェイ開発の現場を初めて視察、現地でテインセイン大統領とも会談し、2013年4月の着工を目指すことが再確認されました。ダウェイ開発の現場にはインラック首相にキティラット副首相兼財務相、プラサート工業相、ポンサック・エネルギー相ら経済関係の閣僚も同行し、現地ではITDの社長などが説明に当たったようです。

同SEZは、アンダマン海に面した平地に大規模工業団地、化学プラント、

深海港など、海の部分も含めると関連する地域は400km²ほどになります。深海港は、中東からの原油といった液体貨物だけでなく、コンテナ港として、また農産物などバルク貨物も扱う多目的港として建設し、そこからタイに向けてパイプライン、高速道路、鉄道で輸送する計画です。

地理的にも、シンガポールを先端とするマレー半島の根元で、マラッカ海峡を通過しないインドとベトナムを結ぶランドブリッジが実現します。ITDでは既に、このプロジェクトの陸上、海上で土壌調査のボーリングを180カ所以上で実施済みで、タイから建設資材を運搬する工事用（アクセス）道路も山岳地帯であるダウェイとマラッカ海峡を通過しない国境のプーナムロン間160kmはほぼ開通、小規模な工事用の港が建設されているところです。

ITDによると、深海港ができるAゾーンには高炉、肥料などの大手産業を、Bゾーンには石油、ガス精製、Cゾーンは石油化学、Dゾーンはタイヤや自動車組立など大手企業、Eゾーンは衣料、食品加工、コンピューター関連などを誘致し、その他にも造船所などの誘致が計画されています。Eゾーンの近くには50万都市も開発する予定です。

日本から最も誘致したい産業としては、石油ガス関連産業が挙げられており、「石炭や鉄鋼石は隣接の港に無制限に輸入できる。肥料生産ではダウェイ付近で産出する天然ガスを無制限に供給できる」として期待を寄せています。

DSEZ法によると、所得税は最初の5年間はゼロであり、6年以上15年までは輸出利益を再投資する場合15％、再投資しない場合は30％となっています。輸出志向企業への原材料、機械・機器の輸入関税は、事業を開始して最初の5年間は0％ですが、その後の5年間は50％減税するとしています。

バンコクとダウェイ間は約330kmと、ミャンマーのヤンゴンからダウェイの約600kmより近く、ダウェイ空港は既に国際空港として稼動し、チャーター便が就航しており、バンコクから25分間のフライトで結ばれています。バンコクから高速道路を使えば数時間でダウェイに行ける時代がすぐ先に来ており、タイの日系企業にとっても、魅力的な工業団地と言えるのではないでしょうか。

6-9 パイプライン敷設工事を急ぐ中国

タイに次ぐ天然ガス輸出先が中国に決定。
パイプライン埋設工事は急ピッチで進行中

　アンダマン海でのタイ向け天然ガスの開発に続き、バングラデシュに近いミャンマー西部のヤカイン（ラカイン）州シットウェ沖でも天然ガスの試掘に成功したと、2004年1月16日付「ザ・ミャンマー・タイムズ」が初めて報道しました。韓国とインドの企業連合として開発されたものですが、韓国企業が探査したガス田としては史上最大で、韓国の大手商社の大宇インターナショナルが天然ガスA1鉱区で60％の権益を持ち、インドのインディア石油ガスが20％、インド政府系GAILと韓国ガスがそれぞれ10％の権益を有しています。

　この天然ガスを購入したいとインド、バングラデシュ、タイが希望しましたが、マンダレー、国境のムセ付近を通って中国雲南省の昆明まで約1,500kmのパイプラインで輸出することが決まりました。2013年末までにこのパイプラインを完成させる計画で、急ピッチで工事が進んでいます。

　ミャンマーにとって、これまで最大の輸出品目はタイへの天然ガス輸出ですが、それに次いで大きな外貨収入となるのが、この天然ガスの中国向けパイプライン輸出です。2010年6月4日、中国石油天然ガスグループ（CNPC）がメインの工事業者として工事契約に調印し、建設がスタートしました。調印式には首都ネーピードーを訪問した温家宝首相（当時）とテインセイン大統領が出席しています。

　この天然ガス鉱区に近いチャウッピュ（Kyaukpyu）島における大型の石油タンカーが入港できる深海港、そして巨大な原油基地も中国が建設しており、ミャンマー産の天然ガスを輸送するパイプラインに平行してもう1本のパイプラインが建設中で、中近東などから年2,200万トンの原油を中国に送る予定です。この2本から成るパイプラインの途中にはそれぞれ数カ所の加圧施設があり、ミャンマー東北部の中国国境にあるムセ方面にミャンマーを斜めに縦断す

る工事が急ピッチで進んでいます。

　パイプラインはムセを通らず、ムセから中国国境に沿って東に車で1時間弱、国境ゲートもあるナムカン（Namhkan）で中国の雲南省に入ります。雲南省の省都である昆明からややミャンマー側にある安寧では、このパイプラインで運ばれてくる原油を使う製油所も着工しています。パイプラインは更に貴州省安順で重慶と広西向けに分離、中国国内で数千kmのパイプライン敷設になるようです。

　パイプラインは地下2フィートに埋設、埋設後には従来の農業が続行できます。中国の事業主は農家などへのパイプライン通行料や迷惑料は個別に支払わず、それぞれの地域で必要とされている学校、井戸掘りといったインフラづくりを中国側の無償援助で行いながらパイプライン埋設工事を進めていくようです。

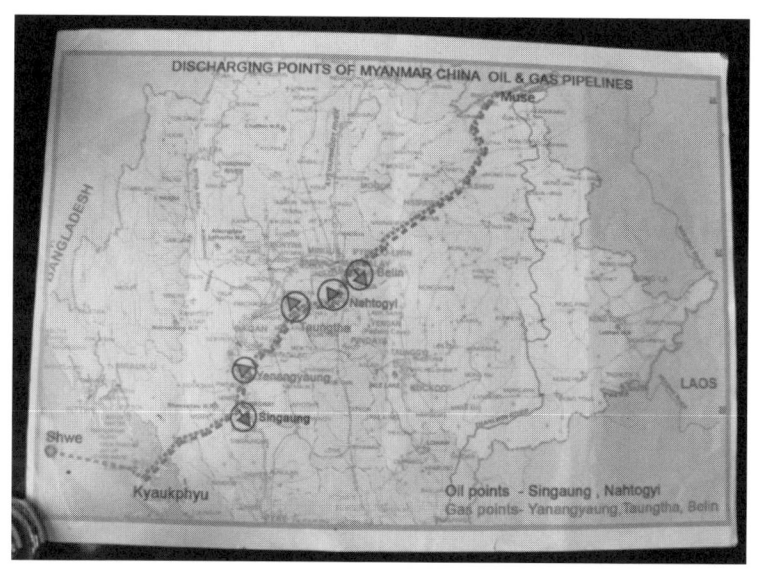

ベンガル湾のヤカイン州沖に浮かぶチャウッピュから中国雲南省へのパイプラインが敷設された場所

【第7章】
CHAPTER 7

今後の成長を握る鍵

7-1 民政移管後の歩み

今後の成長と発展の鍵は、政治の安定によりいかに海外からの投資・援助を持続的に得られるかどうかにある

　一国の政治、経済、社会は相互に深く関わっており、ミャンマーの発展が円滑に進むかどうかは、政治と社会が安定し、経済が時代のニーズに対応して、構造と制度をどのように改革し得るかに掛かっています。政治の安定は、総選挙によって選ばれたテインセイン政権が、旧来の政治構造と制度を改革し、国民生活向上のための開発政策を迅速に決定し、それをきちんと実行できるかどうかに左右されるでしょう。

　ミャンマーは豊富な天然資源と優れた人的資源に恵まれており、アジア最後のフロンティアと言われています。しかしながら、その成長と発展の鍵は、政治が安定し、これを好感する海外からの投資と援助が持続的に増大することによって、多くの国民が等しく開発の恩恵を得られるかどうかに掛かっています。

　以下、これまでの民主化の歩みを振り返りながら、今後の成長の鍵となる具体的な要因を検討します。

政治の民主化

　1989年9月のクーデターで政権を掌握した軍事政権は、2003年、自ら「民主化への7段階の道」を示しました。これにより、2008年に憲法が国民投票により承認され、2010年11月に総選挙が行われた結果、元軍人を中心とする連邦団結発展党（USD）などが76.5％の議席を占めて、2011年3月20日、テインセイン大統領を首班とする、ミャンマー連邦共和国政府が成立しました。これによって、軍政は廃止され、民主化の道程が開始されました。総選挙の結果、設立されたテインセイン政権による民政移管後の目覚ましい歩みは**表7.1**のようになっています。

表7.1 政治の民主化の歩み

年月	特記すべき事項	具体的な変化の内容
2010年11月	総選挙の実施	下院440議席(選挙議席330、軍人議席110)上院224(選挙議席168、軍人議席56)連邦団結発展党(USDP)が選挙議席の388議席(77.9％)を確保。軍人議席166を加えた554議席の割合は、83.4％。国民民主連盟(NLD)はボイコット。
2010年11月	アウンサンスーチー氏の自宅軟禁を解除	総選挙後、国民民主連盟の中央執行委員会議長兼書記長であったアウンサンスーチー氏が、7年半振りに自宅軟禁を解除された。
2011年2月	テインセイン大統領の選出	連邦議会は、軍事政権序列第四位で、軍籍離脱後、連邦団結発展党を設立し、党首となった、テインセイン氏を大統領に選出。
2011年3月	政権設立による民政移管	3月30日、タンシュエ国家平和発展評議会(SPDC)議長が率いる軍事政権が解散。テインセイン政権が成立。
2011年5月、10月	政治犯の釈放	5月に約50名、10月に約200名の政治犯が釈放された。
2011年8月	テインセイン大統領とアウンサンスーチー氏が会談	テインセイン大統領がアウンサンスーチー氏と初めて会談し、ミャンマーの発展のために協力することに合意したとされる。
2011年11月	国民民主連盟が政党として再登録	10月に連邦議会が政党登録法を改正したのに伴って、国民民主連盟が政党登録を行った。
2011年12月	補欠選挙の実施を発表	2012年4月に補欠選挙を実施すると発表。
2012年1月	政治犯の釈放	新たに651人の政治犯が釈放された。
2011年2月	少数民族武装勢力との和解	11の武装勢力と停戦交渉に入り、10の武装勢力と停戦に合意。(カチン武装勢力－KIAとの停戦は合意に至らず、戦闘が再発)
2012年4月	補欠選挙の実施	NLDが45議席中43議席を獲得。アウンサンスーチー氏と大統領が会談
2012年4月	テインセイン大統領の訪日	メコン地域諸国首脳会議参加のため、テインセイン大統領が来日。野田首相を含む日本政府高官と懇談し、日本からのODA支援再開が表明された。

出所：当センターにて作成

　現在までの政治情勢は、少数民族の問題などがあるものの比較的安定していると言えます。

経済の民主化

テインセイン政権は、経済を立て直すために、矢継ぎ早に制度改革を進めています。これらの経済制度改革の成否が、経済が成長するために最も重要な鍵の1つであると言えます。

表7.2　経済の民主化の歩み

年月	特記すべき事項	具体的な変化の内容
2011年7月	輸出税の緩和	輸出税が「10％から7％に」、商業税が「8％から（5％+所得税2％）に」緩和された。
2011年8月	農水産物の輸出税削減	農水産物7品目の輸出税を半年間2％に削減。委託加工ビジネスの委託手数料、ドル払い供与への所得税10％を2％に削減。
2011年9月	中古車買換え奨励	新車の輸入許可が発給された。
	外国投資に関連する土地借用と通貨取引に関する制度の運用改善通達	外国投資が政府のみならず、民間からも土地を借用できるようになった。また、外国通貨払いのための口座振替、現地パートナーへの外貨の口座振替などが承認された。
2011年12月	輸入禁止品目の廃止	調味料、ソフトドリンク、ビスケット、缶詰食品等の輸入禁止品目の輸入を許可。
2012年4月	カナダが武器輸出を除く経済制裁を解除	ベアード外務大臣が武器輸出を除き、対ミャンマー貿易・投資禁止を柱とする経済制裁措置の解除を発表。
2012年4月	EUの経済制裁停止	EUは武器の禁輸以外の経済制裁を1年間停止することを決定した。
2012年4月	外国為替管理変動相場制の導入	3種類の多重為替相場制を廃止し、統一して市場レートに近いレートが採用された。
2012年5月	大和総研、東京証券取引所がミャンマー証券取引所設立に協力	大和総研および東京証券取引所グループは、ミャンマーにおける証券取引所設立および資本市場育成支援への協力に関する覚書をミャンマー中央銀行と締結。2015年に設立予定。
2012年7月	テインセイン大統領の経済分野の施政方針演説	大統領は2011/2012から2015/2016年度までの5カ年計画を発表し、GDPを年率7.7％で推進し、1人当たりGDPを3倍に増やす目標を示した。
2012年7月	中央銀行法の成立	ミャンマー中央銀行が中立的な存在として機能することが承認された。
2012年7月、11月	アメリカの経済制裁緩和	投資と金融サービス輸出に関する制裁を緩和。11月に輸入禁止措置を解除
2012年10月	ミャンマー債権国会議の開催（東京）	ミャンマーに債権を持つ国際機関と政府が東京で債権国会議を開催し、債権の放棄を含む経済支援の枠組みについて協議を行った。
2012年11月	新外国投資法の制定	国会は、海外からの直接投資を円滑に受け入れるための「外国投資法」を承認し、大統領が署名した。
2012年11月	世界銀行、アジア開発銀行が対ミャンマー融資再開を発表	世界銀行とアジア開発銀行は、両行の債権が民間の繋ぎ融資により、返済される道筋が示されたことにより、新たな借款を提供する段取りがついたとして、1月より融資再開を発表した。

出所：当センターにて作成

表7.2のような経済制度とその運用面での改善は、急速に進んでいるように見えます。テインセイン大統領は、2012年7月に国会で「2011/12年度から2015/16までの5年間で、1人当たりGDPを3倍増させる」と演説しました。経済を最速度で成長させようというコンセンサスが政権内に出来ており、この国家の開発目標を達成するために政権が一丸となってまい進していることが伺われます。経済の民主化路線に従って、海外からの直接投資は、2011年より急激に増加してきています。今後ともこの傾向が継続するものと予想されますが、現在までの経済の民主化は以下の点で的を得たものとなっています。

- 市場経済の機能を正常化させるために、これまで障害ないし制約と言われてきた貿易と投資に関連する制度の廃止ないしは改善が明確になってきている（例：輸出税の軽減・削減、輸入禁止品目の輸入許可、多重外国為替管理の変動相場制への移行、土地借用の民間への拡大、外国通貨送金の口座振替の承認など）。
- 海外からの直接投資を受け入れるための基本となる新外国投資法が11月に制定された。これによって、海外の投資家にとって、多くの不明確な部分が明確となり、カントリー・リスクがかなり軽減されるところとなった。さらに、2013年1月にその細則が発表された。
- 国家計画経済開発省の投資企業管理局は、「投資申請は、可能な限り速やかにパスさせる」と伝えているが、多くの投資案件が殺到していることもあり、多少の時間が掛かることはやむをえないものの、従前のような、半年、1年も棚晒しといったことはないものと考えられる。
- 2012年4月の補欠選挙の後、米国およびEU諸国は、競って経済制裁の撤廃と停止を決定した。この結果、海外直接投資のカントリーリスクは一様に下り、テインセイン政権が目指す経済の民主化と自由化を後押ししている。
  EU：4月から全ての制裁を1年間停止
  米国：7月に投資と金融サービス輸出に関する制裁を緩和し、さらに11月に輸入禁止措置を解除
  日本：制裁には加担していなかったが、新規円借款を停止していた。10

月のミャンマー債権国会議において、3,000億円の債務を免除し、新たな円借款の開始を2013年3月までに開始
- 主要なマクロ経済の指標は、おおむね良好に推移しており、今後、海外からの直接投資の流入と政府開発援助によるインフラの整備が数年で相乗効果を持つようになれば、現在の経済成長率5.5%が更に上昇することも可能である。
- もともとインフラやサービスの供給能力が小さかったため、大量の外国からの企業と個人の到来は一時的に事務所、ホテル、外国人用住宅、交通、通信などのサービス供給能力を超えるため、それらの価格高騰をもたらしているものの、これを見越したサービス産業による投資が始まっているの

表7.3　主要な経済指標の動向

マクロ経済指標	年代	金額 or %	産業経済指標	年代	人数or %
名目GDP	2010 2011	454億米ドル 519億米ドル	人口	2011	6,060万人
	成長率	+5.5%	ヤンゴン地域の人口	2011	612万人
1人当たりGDP	2010 2011	759ドル 857ドル	成人識字率	2009	92.0%
			道路舗装率		20%
	増加率	+5.8%	電化率 (2011年)	都市 農村	89% 34%
失業率	2011	4.0%			
経常赤字名目GDP比率	2010 2011	0.9% 2.7	預金下限金利	2012,8月	8%
			貸出上限金利		13%
財政赤字名目GDP比率	2010 2011	5.7% 5.5%	ドルとチャットの交換レート	2012	800〜850チャット
対外債務GDP比率	2010 2011	24.8% 22.8%	携帯電話普及率	2010	7%
消費者物価	2010 2011	+7.3% +4.2%	インターネット普及率 (N=330万所帯)	2010	0%
徴税額（GDP比）	2004〜2010平均	3.6% (アジアで最低)			

出所：Asian Development Bank, "Myanmar in Transition", August 2012
「アジア会議2012」、Asian week；ミャンマーセッション、主催：日経ビジネス

で、これらの需給ギャップは、数年で埋められるであろう。
- 海外からの直接投資は、2010年度以降急速に増大しているが、この傾向は今後とも更に増大する可能性がある。その際には、国家計画経済開発省の投資企業管理局が、どこまで円滑に投資の審査を迅速に実施することができるかが課題になるであろう。

社会の安定化

　ミャンマーは135の民族から構成される複合社会です。複合社会が安定化するためには、2つの大きな要因を満たすことが重要です。1つは各民族が不満を持たずに平和的に統治され、開発の便益を受けること、2つ目は絶対的貧困層が減少することです。

(1) 各民族が不満を持たずに平和的に統治され、開発の便益を受けること

　ミャンマー連邦共和国が、国家としての統一を平和的に維持し発展していくことができるかどうかは、ビルマ族と他の134の少数民族との共存が可能かどうかに掛かっています。7州は主として少数民族の居住者が多く、7地域はビルマ族が多く居住している土地です。7州は山間部と高原が多く、7地域は平地が多いのが特徴です。

　この土地の環境は、経済発展のポテンシャルと深く関わっています。山間部は水田耕作や製造業の立地には適していませんが、希少鉱物などの鉱物資源と水力発電に適した自然条件を持っています。他方、7地域は農業と製造業、サービス業には適していますが、天然資源は限られています。そこで、天然資源を持つ少数民族が、それらの開発の便益を等しく受け取ることができるかどうかが、社会の安定の不可欠な要因と言えるでしょう。

(2) 絶対的貧困層が減少すること

　2011年のミャンマーの1人当たり国内総生産（GDP）は832米ドル（ただし

ADB報告は857ドル）です。これはASEAN10カ国の最下位で、シンガポール（49,271ドル）の60分の1に過ぎません。4人に1人が貧困と言われる貧困層の84％の居住地域は地方に分散しており、例えば、チン州は人口の73％が貧困と言われています。この他には、沿海部のエーヤワディ地域、ラカイン州、タニンダーイ地域、また、内陸部ではシャン州、カチン州に貧困層が多いと言われています。

貧困の指標としては、所得の他にも安全な飲料水の確保や電化率が用いられますが、2010年には、農村の35％が安全な飲料水を確保できずにいると報告されています。また、2011年には農村人口の66％が電気を確保できていない状態にあると報告されています。「千年紀の開発目標（MDG）」として定められた指標で貧困度を見ると**表7.4**のようになっており、ミャンマーは保健の面では遅れていますが、教育の面では比較的良好な状態になっていると言えます。

現在の失業率は4.0％とされていますが、実際には、農村に偽装失業者が多いと考えられています。特に、少数民族地域や中部乾燥地には、農業以外の職がなく、やむを得ず時々農作業を手伝っているという人々が多いようです。

表7.4　MDG指標による貧困度

分野	項目		年度	割合
教育	小学校の就学率		2010	87.7％
	15〜24歳の識字率		2010	95.8％
	男女格差（女子/男子）	小学校	2010	0.93
		中学校	2010	0.96
保健分野	幼児死亡率（/1,000人）		2010	66人
	母親死亡率（/100,000人出生）		2008	240人
	結核死亡率（/100,000人）		2009	388人

出所：Asian Development Bank; Myanmar in Transition, August 2012, page 7より抜粋

2015年には、ミャンマーもASEAN経済共同体に組み込まれ、人口6億人の統一市場において、人とモノの移動が自由化されることになっています。その結果、ミャンマーの非効率な国営工場や競争力のない中小企業や零細農業は、ダメージを受けることが懸念されています。産業の脆弱性は雇用の不安となり、失業者の増大は貧困人口の増大となります。したがって、社会が安定するためには経済発展が都市部だけで進むのではなく、地方にも投資が分散されて、地方に雇用をもたらすような戦略が採用されることが望まれています。

7-2 急速な改善を迫られる物流・インフラ

今、最も早急に取り組むべきは、
電力の供給と道路・鉄道の整備・拡充

　経済成長が「生産」⇨「消費」⇨「貯蓄」⇨「投資」⇨「生産」へと持続的に好循環するためには、金、モノ、人の3要素が円滑に流れることが不可欠です。「資金の流れ」、「モノの流れ」、「人の流れ」が遅滞なく、円滑に行われれば、経済は順調に推移し、需要と供給の市場メカニズムよって価格が安定し、企業も安定的に投資を増大させて成長することができます。しかしながら、社会主義政権による管理経済から軍事政権による市場経済への移行期にあった過去25年間は、社会主義時代の制度が多く残され、インフラの整備も十分ではなく、金、モノ、人の流れが制約あるいは制御されていました。

　したがって、今後、民主主義に基づく真の自由主義市場経済に移行するためには、旧制度を改革し、インフラを整備して、市場の円滑な機能を確立することが極めて重要となっています。ここでは3要素の内、特に「物流」とこれを支える「インフラ」に焦点を当て、各インフラの「現状」、「課題」および「開発の方向」を見ることにします。

消費市場と卸・小売事情 ★

　物流の最終点は消費市場です。消費市場の大きさは主として都市人口に依存します。ミャンマーの行政区分は州・地域（State/Region）の下に県（District）があり、その下に郡・町（Township）があります。この郡・町レベルで都市人口を見ると、**表7.5**に示されているように、ヤンゴン（448万人）、マンダレー（121万人）のみが100万都市と言えるもので、その他の都市はいずれも100万人以下の小都市となっています。

　地方都市にはいわゆるマーケットと言われる市場が多数存在し、食料品と日

用品が売られていますが、大規模スーパーはありません。もともと購買力が小さいので、市場で十分間に合って来たと思われます。他方、ヤンゴンやマンダレーには、近年、モダンなスーパーが出現し、賑わっています。今後、開発が期待されている経済特区には、大規模なスーパーや百貨店が招致されるようで、ミャンマーにも小売り段階での大規模な消費市場が出現しそうな気配です。

　ミャンマー政府は、国内企業の保護を目的として、卸・小売業分野の外国企業の参入を認めていませんでしたが、今回、外国投資法の細則において、規制するルールと分野を規定しました。これによると、食品加工、建設、不動産開発などの42分野のみを認め、外資の出資比率は80％以下と決めました。電力や小売りなど27分野では、さらに規模や出資比率で特定の条件を列記して所管官庁の個別認可が必要とされました（詳細は第5章を参照してください）。

　卸売について細則では、商業省の判断が必要とされ、同省が承認すれば販売

表7.5　主要都市の人口

（2011年推計値）

都市名	人口	州/地域	都市名	人口	州/地域
ミッチーナー	90,894	カチン	タウングー	106,945	バゴー
モンユワ	182,011	ザガイン	ピィ	135,308	バゴー
ザガイン	78,739	ザガイン	パコック	126,938	マグウェー
シュエボ	88,914	ザガイン	マグウェー	96,954	マグウェー
パラン	5,404	チン	イェナンジャウン	110,553	マグウェー
シットウェ	177,743	ラカイン	チャウッ	90,870	マグウェー
ネーピードー	925,000	マンダレー	タイエ	98,185	マグウェー
マンダレー	1,208,099	マンダレー	モーラミャイン	438,861	モン
ピンウールイン	117,303	マンダレー	タトン	123,727	モン
メイッティーラー	177,442	マンダレー	ムドン	89,123	モン
ピンマナ	97,409	マンダレー	タウンジー	160,115	シャン
ヤンゴン	4,477,638	ヤンゴン	ラーショー	131,016	シャン
タンリン	69,448	ヤンゴン	ロワインコ	17,293	カヤ
パテイン	237,089	エーヤワデイ	ビェイ	173,298	タニンダーイ
ヒンタダ	134,947	エーヤワデイ	ダーウェ	136,783	タニンダーイ
バゴー	244,376	バゴー			

出所：http://beta.geoba.se/population.php?cc=MM&st=city&asde=d&page=1

目的の現地法人を設立出来ることになりました。大型店舗による小売業は出資を60％を上限として2015年以降、百貨店、スーパー、ショッピングセンターといった形態での外資を認めることになりました。その際には、1）現地資本の既存店に近くない、2）国産品を優先的に売る、3）税の恩典は受けられない、といった条件が付けられました。日本のコンビニエンス・ストアは規模が小さい店舗であるところから、現地資本を活用した方法と手段が必要と考えられます。

インフラの現状と課題

　過去25年間、軍事政権はかなりのインフラ整備に努力してきました。オフショアの天然ガスで得た収益を基に、ヤンゴンからネーピードーへの首都移転と関連インフラの整備、主要都市と全国主要幹線の道路網の拡幅・修復・新設と4河川を横断する橋梁の建設が最も顕著な事例です。

　この他にもヤンゴンとマンダレーの空港整備がありますが、地方空港の整備の規模は限定されたものとなっています。他方、最も頭を悩まされてきたのが電力の供給と鉄道の整備・拡充の問題です。この2つのインフラは、外国からの技術導入が不可欠であったために、経済制裁がブレーキをかけた分野であり、新政権が早急に取り組むべき分野であると言えます。

(1) 道路事情

①道路網の現状

　道路は山脈と河川との間を縫ってつくられているため、南北の経路がより発達しているものの東西を横断する鉄道や道路は過去においては十分発達していませんでした。このため、軍事政権下の1980年代には、橋は1つしか架かっていなかったエーヤワディ川に、現在では6つの橋が架かっています。エーヤワディ川のデルタ地域の横断道路は1990年代以降順次、多くの橋がつくられ、今ではヤンゴンからラカイン州に行く道路網はかなり整備されています。川幅

が広い「タンルウイン川」にも橋が架けられ、モン州の南北を接続し、道路でタニンダーイ地域まで車両による輸送ができるようになりました。

図7.1は、主要な幹線道路を示した主要道路網図です。鉄道網に比して、道路網はかなり整備されてきています。特に国境貿易が盛んな中国とタイとの国境に通じる道路は、交通量が多いため、未舗装の道路を含めて、多数の道路が出来ています。

マンダレーからネーピードー、ヤンゴンをつなぐ南北縦断道路（ハイウェイ）は「アジア・ハイウェイ」の一部として、また、将来の基幹道路になることを期待されて2009年3月に完成していますが、現在は交通量が少なく、片道4車線と2車線の両方で運用されており、途中のサービスエリアもネーピードーとヤンゴンの間には1つしかありません。

②道路網整備の課題

ミャンマーの道路舗装率はわずか20％と低く、タイの道路舗装率99％に比べると大変劣悪な状態にあり、多くの道路の拡幅・修復・舗装が必要とされています。また、トラック輸送会社は存在しますが、会社が小規模で2〜3台のトラックで事業を行っている例が多く、大変旧式のトラックを使用しているため故障と交通事故が多く危険を伴っています。特に少数民族が住んでいる地方の山間部の道路は道幅が狭く未舗装が多いため、雨季にはスリップの危険度が

車窓から見た片道4車線　　車窓から見た片道2車線

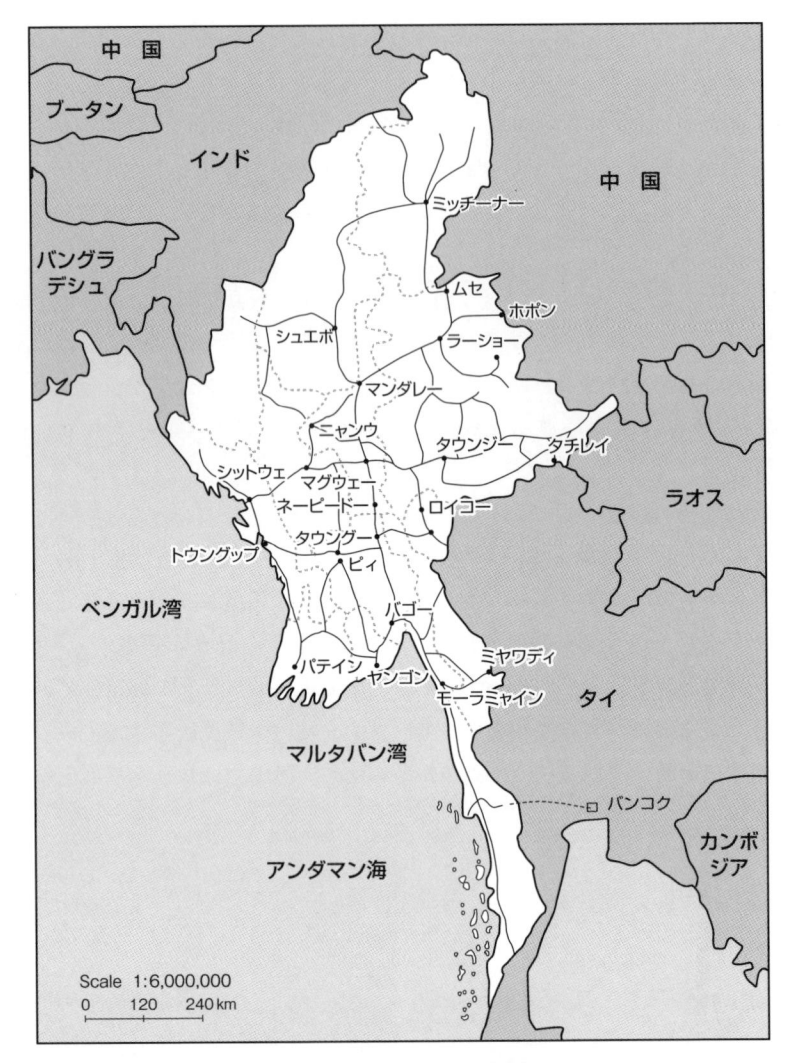

図 7.1　ミャンマーの主要道路網

高く、事故が多発しています。コールド・チェーン・システムも一部存在しますが、不十分な状態です。まとまった量の製品を道路輸送する場合にはリスクがあることに注意が必要です。

③開発の方向

今後、道路網を整備するためには次のようなニーズが優先度の高いものと考えられます。

- 地方の主要都市間をつなぐ幹線道路とその主要支線道路（フィーダーロード）を拡幅・補修し舗装する。
- 戦略的に開発される経済特区と他の主要都市をつなぐハイウェイ幹線道路を整備する（例：東西回廊、南部回廊）。
- ヤンゴン、マンダレーの都市交通マスタープランを作成し、これに従って、交通渋滞の緩和策を実施する。
- 道路改修財源を確保するための有料道路の料金回収システムを改善する。
- トラック運送事故を減少させるために対策を講じる。

(2) 鉄道事情

①鉄道網の現状

図7.2は、全国の鉄道網を記した鉄道路線図です。鉄道の総延長は3,100kmあり、カチン州のミッチーナーからマンダレーを経てヤンゴンまでの1,042kmの基幹線路とその支線から構成されています。ミッチーナからマンダレーまでの420kmを約16時間、マンダレーからヤンゴンまでの622kmを約15〜16時間で走っています。

鉄道はイギリスの植民地時代から建設されてきていますが、その建設と利用は限られたものとなっています。日本や中国からの中古車両が多く購入されて走っています。駅舎もほとんどが1960〜70年代のものと言えます。ヤンゴン市内には途上国には珍しい42kmの環状線が走行しています。

②鉄道網整備の課題

狭軌（1,000mm）鉄道の線路と枕木が老朽化しているため、早急な修復が必要

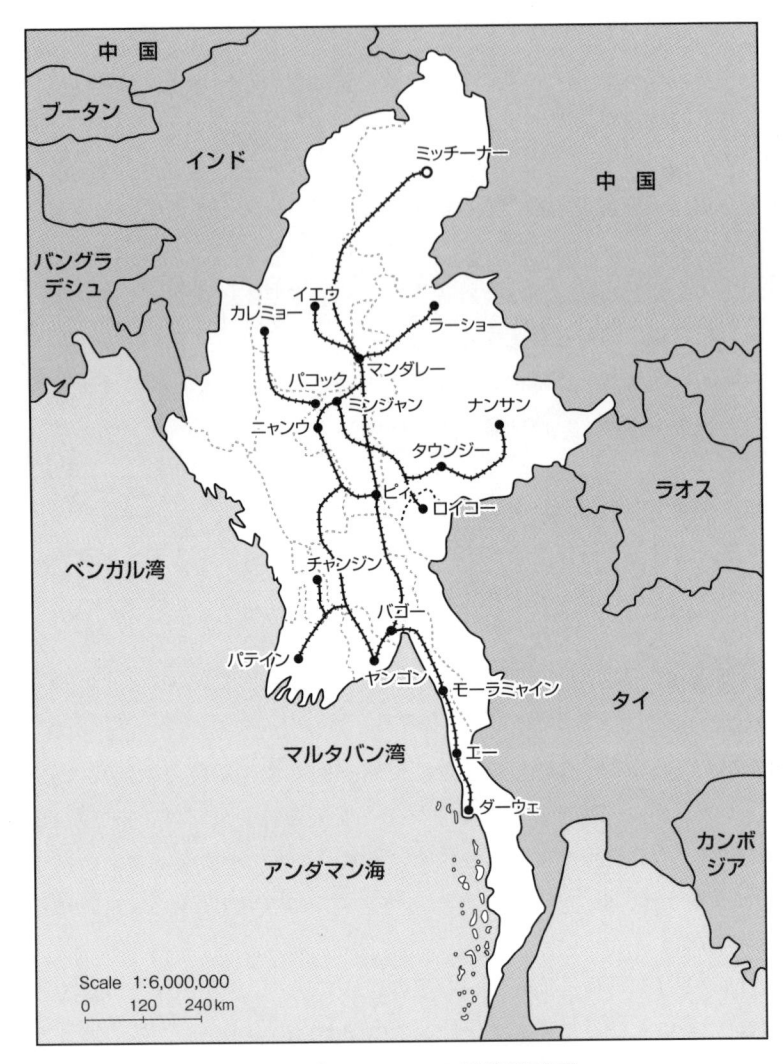

図 7.2　ミャンマーの鉄道路線図

とされています。1980年代は平均時速60〜70kmで走行し、マンダレーとヤンゴン間は約12時間掛かっていましたが、現在では平均時速40〜60kmに落ちているようです。ディーゼル機関車、客車、貨物車、枕木、信号などの施設と技術は、安全性、乗り心地、運行の効率性の全ての面で修復・改善が必要です。貨物列車の運行は不定期で信頼性に欠けています。

ヤンゴン市内の環状線（42km）も老朽化し、1周約2.5〜3時間掛かることに加えて、鉄道線路の周辺には障害となる、線路横断を含む人とモノの移動が多く、危険が多いため、安全性の面からの整備が必要になっています。他方、ヤンゴン市内の交通渋滞がひどくなってきているため、都市交通の手段として見直されてきており、将来の高架化も含めてその近代化が求められています。

③開発の方向

今後、鉄道網を整備するためには次のようなニーズが優先度の高いものと考えられます。

- 全国鉄道修復・整備マスタープランを作成する。
- 鉄道主要幹線の線路と信号・通信システムを改修し、電化する。
- 機関車、客車、寝台車、食堂車などの車両を整備する。
- 中央管理センターを整備して鉄道全体の安全な運行管理システムを確立する。
- マスタープランに従って、貨物の運送システムを改善し、必要な機関車、貨物車両、倉庫を整備する。
- ヤンゴン環状線鉄道および駅を起点とするバス網を整備して、通勤の利便を改善する。
- 鉄道貨物輸送は道路運送との競争が予想されるので、運営方法について、競争力の強化策を講じる。

(3) 電力事情

①電力供給網の現状

図7.3は、全国の電力供給網を記した電力系統網図です。ミャンマーには前

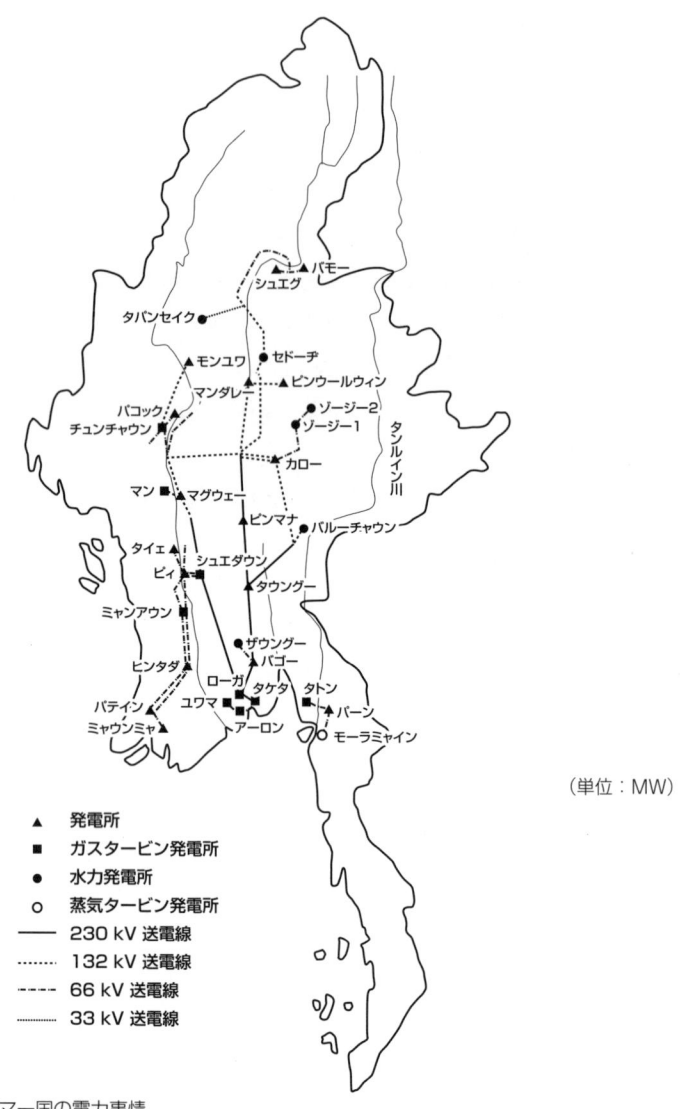

▲ 発電所
■ ガスタービン発電所
● 水力発電所
○ 蒸気タービン発電所
── 230 kV 送電線
⋯⋯ 132 kV 送電線
---- 66 kV 送電線
—·— 33 kV 送電線

（単位：MW）

出所：ミャンマー国の電力事情
http://www.u-zeekwyet.com/Research/mpower.htm

図 7.3　ミャンマー国内の電力系統網

述の4大河川があるため、水力発電の潜在能力が非常に大きいものの、資金不足から自らの力では十分開発されませんでしたが、近年、中国政府と企業が水力発電所の建設に参加して推進されています。現在の発電設備量の内訳は**表7.6**のようになっています。

これによると、水力発電が約74％、火力発電が約21％となっており、これら2つで95％になります。地方と農村の電化は極端に遅れており、太陽光発電や風力の活用も極めて限られています。山岳地帯や河川には、小水力発電のポテンシャルが高く、小さな資金で農村電化を推進できる余地が大きなものと考えられています。

②電力供給網整備の課題

経済制裁が続いていた2000年代は、電力不足による頻繁な停電がミャンマーの大きな問題の1つでした。このため、工場では自家発電装置を確保して停電に備えることが不可欠となっていました。また、電圧の大きなぶれも、大変な問題です。

ヤンゴン市電力供給公社のアウンカイン会長が作成した「今後の発電所・発電プロジェクト」（2011年12月の資料）によれば、今後、予定されている発電

表7.6　ミャンマーの発電設備容量（2011年）

電　源	送電網に接続 (Grid System)	単　体 (Isolated)	合　計	シェア (%)
水力	2,526.00	33.34	2,559.34	73.95
ガス	714.90		714.90	20.66
石炭	120.00		120.00	3.47
デイーゼル		63.02	63.02	1.82
バイオマス		3.72	3.72	0.11
合　計	33,634.50	100.08	3,460.98	100.00

出所：ヤンゴン市電力公社アウンカイン会長作成
　　　2011年12月13日資料「Investment Opportunities in Power Sector in Myanmar」より

所プロジェクトとしては、水力発電所が45カ所で3万6,000MW、石炭火力発電所2カ所で600MW、ガス発電所が1カ所で450MWとなっています。

他方、2012年12月の第2電力省の発表によると、政府は電力不足を以下の手段によって、解決することにしています。

表7.7　発電能力強化対策

発電設備	設　備	発電能力	消費電力
水力発電所	18基	雨期：1,610MW 乾期： 内訳： 水力発電 　雨期：1,270MW 　乾期：1,000MW ガス火力発電 　通年：340MW	雨期：1,560MW 乾期：1,850MW
石炭火力発電所	1基		
ガス火力発電所	10基		

出所：2012年5月22日、国営紙：第2電力省発表

現在、政府は緊急に電力事情を改善するために、日本政府の協力によってガスタービン発電所を導入し、早急に電力供給を強化しようとしています。ヤンゴン近郊のユワマ火力発電所（34MW）、トーヨー・タイに発注した新たな火力発電所（100MW）およびヤンゴン都市圏の火力発電所改修（212MW）を合計すると346MWとなり、2012年3月の電力規模の約1.5倍に増強される予定です。その他の努力も加えて、2015年までに当面の供給不足はなんとか乗り切れるメドがついたと言われています。

しかしながら、増大する需要を考えれば、将来的には乾期の電力需要を乗り切ることが困難となることが予想されており、長期的なマスタープランを作成し、エネルギーのベストミックスを計画し、実施することが望まれています。

(4) 港湾事情
①港湾の現状

ミャンマーの港湾は、輸出入港湾、輸出港湾および国内沿岸港湾の3種類に区分されており、該当する港の名前は**表7.8**に示されているとおりです。

表7.8　ミャンマー港湾の目的別区分

区分	港湾の名前	所在する州・地域
輸出入港湾	ヤンゴン/テイラワ 港	ヤンゴン地域
輸出港湾	シットウエイ港 パテイン港 モーラミャン港 メイク港	ラカイン州 エーヤワディ地域 モン地域 タニンダーイ地域
国内沿岸港湾	チャオピュー港 タンダーウエイ港 ダーウエ港 コータアウン港	ラカイン州 ラカイン州 タニンダーイ地域 タニンダーイ地域

出所：ミャンマー港湾局

ヤンゴン港は、河口から約32km付近に位置しているため、途中で外砂州と内砂州に航行を阻まれ、航行は潮位と航路の埋没状況によって制限を受けることになります。常に土砂を浚渫する必要があり、拡張も困難であるところから、ヤンゴン港から河口へ25kmの地点に新たにテイラワ港が建設されました。現在37バースの計画の内10バースが稼働し、5バースが建設中となっています。ヤンゴン港とテイラワ港の間の従来の道路は大型車の通行には十分とは言えなかったために、新たな橋梁と道路が建設されました。

現在の入港可能な船舶は、ヤンゴン港が全長167m、喫水9m、重量1万5,000 DWTまでとなっており、4つの埠頭の長さの合計は2,032mです。テイラワ港に入港可能な船舶は全長200m、喫水9m、重量2万DWTまでとなっており、2つの埠頭の長さの合計は、1,198mとなっています。2つの港は1つの港湾として管理運営されていますが、現在ターミナルの開発と運営は民営化されつつあり、ミャンマー港湾局が直接運営管理しているのは、Sule Pagoda Wharvesのみとなっています。

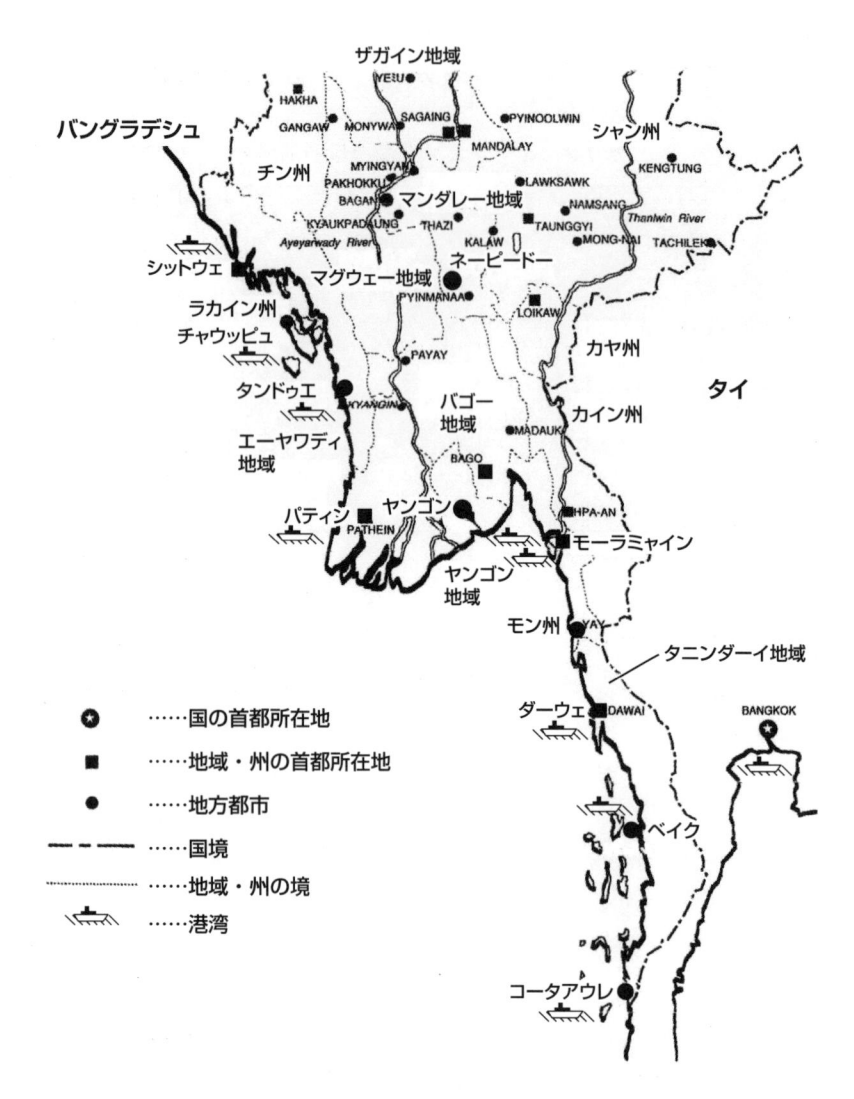

出所：座間味康喜、2012,「ミャンマー国のコンテナ事情」
　　　国際臨海開発研究センター, Vol.1 海外事情調査を基に当センター作成

図7.4　ミャンマー国の港湾位置図

②港湾の課題

　さらに大きな船舶が寄港するためには、深海港の建設が不可欠で、ラカイン州のチャウッピュ港、グヮ港、およびタニンダーイ地域のダーウエ港とボーピン港が検討されています。

　チャウッピュ港は水深が24mあるため、中国の雲南省とベンガル湾を結ぶ物流の港として着目され、同港を起点として雲南省までを結ぶ石油・ガスのパイプライン敷設が中国企業によって進められています。また、ダーウエ港はベトナムのホーチミン市とタイのバンコックを経て高速道路で結ばれる南部経済回廊の西側終点として、インドシナ地域とインド洋とをつなぐ新しい物流ルートの形成が可能となるために脚光を浴びています。タイの企業グループが関心を持って推進しており、タイ政府も後押ししています（詳細は第6章を参照してください）。

(5) 空港事情

①空港の現状

　ミャンマーには合計69の空港がありますが、このうち32港が運用されています。国際空港はヤンゴンとマンダレーおよびネーピードーの3空港のみとなっています。滑走路の長さは、ヤンゴン空港が3,413m、マンダレー空港は4,267m、ネーピードーは3,600mです。この他に入国管理や通関機能を持っている空港は10空港あり、国内線の定期便が発着する国内の空港は21空港となっています。

　ヤンゴン空港は、年300万人の乗降客を想定して設計されていますので、近年は混雑が激しくなってきています。このため、現在、ヤンゴンから80km離れたバゴー市の郊外にハンタワディ新国際空港を建設する計画が進められているようです。国際航空貨物の99%はヤンゴン空港で取り扱われています。また、ネーピードー空港を国際空港とするために、拡張計画が進められており、第1フェーズで年300万人規模の設備が2011年に完成しました。第2フェーズでは年1,000万人、第3フェーズで2,000万人の乗降客を収容できる計画になっ

ていますが、これらは、もっと将来になるでしょう。

現在、運航している航空会社は、**表7.9**に挙げた7社となっています。

表7.9 現在運航している航空会社

会社名	航空路線	保有機数	会社の形態
ミャンマー航空 (Myanmar Airways)	国内線と国際線 (MAIを使用)	13	国営会社
エア・バガン (Air Bagan)	国内線と国際線	5	民間会社
エア・マンダレー (Air Mandalay)	国内線のみ	3	ミャンマー航空とシンガポール企業との合弁による民間会社
ヤンゴン・エアウエイズ (Yangon Airways)	国内線のみ	2	ミャンマー航空とタイの企業との合弁による民間会社
エア・カンボーサ (Air Kanbawza)	国内線のみ	5	民間会社
アジア・ウイングズ航空 (Asian Wings Airways)	国内線のみ	3	民間会社
ゴールデン・ミャンマー航空 (Golden Myanmar Airlines)	国内線と国際線	1	官民共同出資のLCC会社

出所：The Nature Lovers Groupによる各社から2013年2月現在の聞き取り調査

ミャンマー国際航空の国際路線は、バンコク、プノンペン、シェムレアップ、シンガポール、クアラルンプール、コルカタ、ガヤー、台北、昆明、広州となっています。

海外からミャンマーに乗り入れている航空会社は**表7.10**の11社です。

②空港の課題

ミャンマーは、長い間の経済援助の停止と経済制裁のため、自国予算により施設と設備の安全・保安を維持することに努力してきましたが、国際民間航空機関（ICAO）の基準に基づく航空機の安全運行に必要な航空保安施設、テロなどの不法行為対策としての空港セキュリティ施設は機材全般に渡って老朽化・旧式化あるいは未整備の状態になっています。旅客数と貨物は年々増大し

表7.10 ミャンマーに乗り入れている海外の航空会社

航空会社名	航空会社名
タイ航空	ドラゴン航空
大韓航空	全日本航空
シンガポール航空	チャイナエアライン
アシアナ航空	中国東方航空
バンコクエアウエイズ	ベトナム航空
マレーシア航空	

ていますが、安全運行とセキュリティのための対策が全く追いついていないのが現状です。特に、地方空港ほどこの傾向は大きく、早急な対策が必要とされています。

　今後の経済発展のスピードが速まれば、人とモノの移動はさらに倍加するものと思われます。航空安全の観点からすると、ヤンゴン国際空港の整備を急ぐとともに、地方空港の施設を出来るだけ早く整備する必要があります。そのためには、老朽化、旧式化した航空援助施設の整備とともに、急速な航空機の運航増大を可能にするための人材の養成が急務となっています。

(6) 通信・IT事情
①通信の現状

　ミャンマーの通信事情は近年改善の途上にありますが、2010年現在で固定電話は86万2,169回線で、普及台数は320万台、また、移動電話参加者数は143万5,250人となっています。2009年までは、毎年1〜1.2%の増大率となっていましたが、今後はこれをはるかに上回るスピードで増大するものと予想されます。

　また、インターネットの加入者数は、38万人以上となっています。このような低い普及率は、民主化以前には、固定電話、移動電話、インターネットの購入・参加が政府によって管理されており、購入費用が著しく高く設定されて

制限されていたことによるものです。しかしながら、テインセイン政権の設立後は、政治結社の自由化や新聞雑誌の事前検閲廃止など、各種の制約的な規則が廃止ないしは緩和されてきています。

今後、政治・経済の民主化推進に沿って、民間投資並びに観光客が増大することを考えれば、企業と個人が保有する携帯電話とインターネットの需要は、飛躍的に増大するものと予想され、インターネットへの参加の制限は、ますます緩和されるものと思われます。これらの現状を要約すると**表7.11**のようになっています。

表7.11 ミャンマーにおける放送・通信技術の普及状況

放送・通信事業	通信方式など	回線数/加入者数	その他の特徴
固定電話	CDMA加入者が増大	86万2,169回線普及台数 320万台（2010年）	デジタル化率91％以上（2009年）
移動体通信	TDMA, CDMA, GSMなど多方式	143万5,250人（2010年）	MPTは2011年から5年間で3,000万の携帯回線を整備予定。
インターネット	光ファイバー、無線ブロードバンド、ADSL、ダイアルアップ、WiMAX, iPSTAR	利用者は38万人（2011年）	MPTとYadanaporn Teleportの2社のみがISPを提供。他社はその回線を借り受けて通信サービスを提供。
テレビ	VHF帯 30-300MHz UHF帯 470-585MHz	MRTVとMyawaddy TVが人口の92％をカバー	地上デジタル放送はDVB-T方式で有料放送。視聴者は10万人程度。
ラジオ	地域毎にFM放送を開局	地域ごとに全国をカバーしている。	一部インターネットによる再送信中で、国内全てのFM放送をインターネット配信で準備中。
衛星放送	MRTVによるThaicom3衛星を使用	2010年に民営化されて、Myanmar Internationalとして120カ国以上に24時間の英語放送を実施。	インターネットでも配信中。2010年に民間の合弁でSKY NETにより衛星有料チャネル放送が開始された。

出所：総務省、「世界情報通信事情、ミャンマー」、PDF版より当センター作成
http://www.soumu.go.jp/g-ict/country/myanmar/index.html

②ITの現状

「コンピューター科学開発法」が1996年9月に制定され、コンピューター・ソフトウェアや情報の輸出入を管理するとともに、「Myanmar Computer Federation」を設置しました。また、「ミャンマーITマスタープラン」が2002年に制定されました。2004年には、韓国の協力を得て「2006年～2010年までの行動計画」として以下の8分野の行動計画が取りまとめられ、さらに現在、新しいICT産業振興法が審議中です。

①ICTインフラ
②ICT産業
③ICT人材開発
④電子政府
⑤情報化と電子商取引
⑥e教育とアウエアネス
⑦ICT標準化
⑧ICT法的枠組み

ICT産業に関する調査によれば、ミャンマーの政府機関として通信・郵便・電信省、科学技術省、教育省から成る「e-National Task Force=NTF」という電子化促進のためのタスク・フォースが設立されて、以下の電子政府関連パイロット・プロジェクトが官民協力によって開始されています。

①電子ビザ
②電子パスポート
③スマートカード
④スマート・スクール
⑤電子調達
⑥電子貿易（EDI）
⑦認証局

枠内データの出所：河野方美、2012、「ミャンマーにおけるICT産業の現状と展望」
http://www.jtec.or.jp/document/pdf/2012.1.18kouenkai_kouno2.pdf

ミャンマーは後発国の優位性を生かして、ICT産業の育成に積極的に取り組んでおり、インフラが整備されれば、ICT分野の産業が急速に育成される可能性があると言えます。このことは、ミャンマー・コンピューター連盟に、以下のようにたくさんの人達が既に協会に加入していることで、関心の高さが伺われます。

- ミャンマー・コンピューター専門家協会（MCPA）、会員数8,000人
- ミャンマー・コンピューター産業協会（MCIA）、会員企業数600社
- ミャンマー・コンピューター学生協会（MCEA）、会員数7万5,000人
- ミャンマー・コンピューター愛好協会（MCFU）、会員数10万人

③通信・ITの課題

　海外からの投資が増大するに連れて、当然のことながら、関連する通信サービスの需要が増大することは明らかです。通信分野に直結しているIT分野の潜在市場の大きさを想定して海外からの投資も増大しています。最も大きな問題は多くの通信を伝達する通信手段の「容量」が小さいことです。

　従来は、政権が制御しやすいように回線数と伝達容量を制限していたために、大きな投資が行われずにきましたが、今後は、民間部門の発展とともに通信の需要規模が飛躍的に増大することが予想され、衛星通信とともに光ファイバー、マイクロ・ウェーブ、通信ケーブル回線数も大容量に取り換える必要があります。ただし、山間地域とのコミュニケーションの問題を解決するためには、容量ではなく通信そのものがつながれる必要があります。

　海外との国際電話・通信はこれまでは制限されてきましたが、今後は、海外から通信・ICT分野への投資を奨励し、合弁事業を含めて速やかに推進する必要があります。この分野は、特に技術が日進月歩で進んでいるため、その技術革新の波に乗り遅れないことが重要で、そのためには海外からの民間投資を呼び込むことが不可欠となっています

　他方、日本を含め世界的にIT分野のソフト開発需要が高まる中、ミャンマーには豊富で安価な労働力が存在し、対日感情の良さおよび日本人に合った文化と国民性と日本語能力の高さと相まって、ミャンマーの労働市場が着目さ

れており、日本の大企業と中小企業がIT分野のソフト開発のための投資を始めています。

IT分野の人材育成は、以下のように官民の取り組みが始まっており、基礎的な教育・訓練の場が出来てきていますので、いかに迅速にその教育内容のレベルと質を高めるかが課題となっています。

- ヤンゴン・コンピューター大学（UCSY）：学生数4,300人
- マンダレー・コンピューター大学（UCSM）：学生数3,200人
- コンピューター・カレッジ（3年制）24校：学生数約7,000人
- 工科大学3校のIT学部：学生数計300人
- 工科カレッジ17校のIT関係：学生数計500人
- ヤンゴン大学（2005年からソフトウェア技術者教育を開始）
- MICTパーク・ヤンゴン（企業数60社）
- 民間のコンピューター学校：ヤンゴン市内のみで100校あり
- KMD社とMCC社が運営するコンピューター・スクールが有名で全国に展開。

(7) 灌漑事情

①灌漑の現状

ミャンマーは農業国であり、GDPの約4割を農業が占め、全人口の約60％が農村に居住し、全労働人口の60％が農業従事者です。その地形、植生および風土などによって、農業は**表7.12**に示す3つの型に区分されます。

デルタ型農業の内、ラカイン州の山間部では広大なバナナ、パイナップル農園が盛んで、モン州の山間部ではドリアン、ザボン、パイナップル、マンゴーなどの果物がつくられ、タニンダーイ地域では、油ヤシやゴムの栽培が盛んに行われており、他のデルタ地域の稲作とは異なった農業を示しています。

ミャンマーの農地総面積は、1,364万haで、その約3分の2に相当する830万haでコメが生産されていますが、この内訳は雨期が700万ha、乾期が130万haとなっています。平均生産高は1ha当たり4.1トンです。

表7.12　ミャンマーの農業の類型

農業の型	農業の方法	該当地域・州
デルタ型農業	雨期の大量降雨を利用した天水田による稲作および乾期の灌漑による豆類の生産などを行う	エーヤワディ地域、ヤンゴン地域、バゴー地域、ラカイン州、タニンダーイ地域、モン州
ドライゾーン型農業	降雨量の少ない中部平原部で天水を利用して畑作による豆類、野菜、油糧種子、綿花、タバコ、ココナツからの砂糖、焼酎などを生産する	マンダレー地域、マグウェー地域、ザガイン地域南部
山間部型農業	国境地域の山間部の盆地では灌漑畑作、低地では稲作を行うが、山の斜面を利用した焼畑が伝統的に行われ、自給性の強い農業が行われている	カチン州、シャン州、チン州、ザガイン北部、カレン州、カヤ州

出所：室屋有宏、「ミャンマーの稲作農業」などに基づき、当センター作成

　コメ以外の作物としては、豆類、野菜、ゴマ、果実、落花生、タマネギ、ひよこ豆、ひまわり種、バナナ、トウガラシ、コショウ、サトウキビ、ゴム、コーヒー、ココア、油ヤシ、ココヤシがあり、畜産物として鶏肉、豚肉、牛肉、牛乳、鶏卵、家鴨肉などがあります。

　農家の平均農地保有面積は、約2.5ha、このうち2ha以下の所帯数の割合が57％に上ると言われ、近年は農地の分散化が進んでいるようです。また、土地を持たない農村人口は30～50％に上ると言われています。社会主義の時代には、農家は、農地を国有化され、一定量の農産物を強制的に供出させられ、また、計画的な作物の栽培を義務づけられており、農家は自由な作物の生産、販売が禁止されていました。この結果、1980年代の半ばには、農家の余剰が全て国家に吸い上げられる状態が出来ており、農家は窮乏の危機にひんしていたとされています。

　軍事政権の時代には、農地の国有化はそのまま残されましたが、2003年以降、供出制度と計画栽培は廃止されました。しかしながらコメなどの主要作物については依然として、「作付計画」として実質的に継続されているようです。

　表7.13は、ミャンマーの土地利用の変化を示したものです。これによると、

表7.13　ミャンマーの土地利用の変化

(単位：万ha,％)

年　度	作付面積(ネット)(a)	2期作・2毛作以上(b)	総作付面積(a+b)	灌漑面積(c)	灌漑比率(c/a)	コメ総作付面積	豆類総作付面積
90	832	180	1,013	100	12	495	100
95	917	372	1,288	176	19	614	195
00	1,048	497	1,545	191	18	636	272
05	1,194	682	1,875	214	18	739	381
06	1,261	779	2,040	224	18	812	400
07	1,322	889	2,212	225	17	809	423
08	1,349	947	2,296	227	17	809	428
09	1,364	972	2,336	233	17	807	438

出所：室屋有宏、「ミャンマーの稲作農業」、(農林金融2012.8)
原資料：Central Statistical Organization "Statistical Yearbook2010"
農業灌漑省："Myanmar Agriculture in Brief 2011" から作成

2009年の作付総面積は1,364万haで、2期作以上の作付を行っているのが972万haあり、これを合計した総作付面積は、2,336万haとなっています。このうち灌漑面積は、233万haあり、これは作付面積の17％となっています。コメの総作付面積は807万haで、総作付面積の34.5％、同様に豆の総作付面積は438haで18.8％となっており、この2つの作物の合計が全作物の53.3％を占めています。

灌漑面積比率は、1990年に比して1995年にピークに達したものの、その後は徐々に低下してきています。また、17％の灌漑面積比率は、タイの33％、ベトナムの45％に比べても低い比率となっています。2009年の灌漑面積は233万haですが、実際の乾期の作付面積は130万haとされており、約100万haが使用されていないことになります。このことは、灌漑設備が劣化しているか、あるいは雨や地下水が少なくて、実際には使用されていないものと考えられます。

②灌漑の課題

灌漑の有用性は、作物との関わりが重要ですが、ミャンマーではコメ生産との関わりが最も大きなものと言えます。デルタ型農業においては稲作が中心

で、4つの河川沿いに灌漑設備が建設されています。

　表7.13のデータからも理解されるように、第1の問題は灌漑の劣化です。灌漑設備は通常水利組合が結成されて管理されますが、このマネジメントがしっかりしないと、劣化したり破壊されたりして、取水量が減少するだけでなく、雑草や病害虫の発生を招き、危険にもなります。第2の問題は、灌漑面積がまだ少なく、灌漑を建設出来る用地はあっても、建設されないでいるところが多いことです。中部乾燥地帯は、年中水不足の状態にあり、河川水からの取水の他、地下水や天水を溜めたため池からの灌漑が必要とされています。

　ドライゾーン型農業では、水田ではなく、多くは畑作なので、水を必要とする期間も短く、2～3カ月ですみますが、灌漑があれば2毛作・2期作が出来るようになります。ドライゾーンでは作物に見合った水量を必要とするため、近くからの水がどれだけ活用できるかに掛かっています。

　UNDPの調査によれば、ミャンマーの灌漑設備の問題は、いわゆるトップ・ダウン形式による灌漑システムの普及であったため、農民の意見が反映されず、したがって灌漑の運営がうまくいかず、設備の劣化につながったとされています。もしも既存の全てのプロジェクトが計画どおりに実施されていたとしたら、10万所帯の農家が水を確保できるようになると推計されています。

　さらに、建設中と拡充計画が実現されれば、55万5,000haの水供給が可能となり、27万5,000所帯の農家が水を確保できるようになり、合計137万5,000人の人達が灌漑から被益出来るようになるポテンシャルがあると見られています。今後は、農民の参加によって、水の利用の仕方を含めて、政策面から既存の灌漑設備の修復と改善を図る必要があります。

　加えて、大きなポテンシャルとして小規模灌漑があります。ほとんどの村に天水を溜める、浅いため池がありますが、近年では異常気象の影響もあり、年ごとに天水の量が変化しています。このため、雨が多い年はため池は溢れ、ダムも少ないため洪水となり、雨が少ないときには、ため池はすぐに枯渇してしまいます。小型のダムを作ったり、ため池を現状よりも深くして貯水量を増やし、乾期に畑作に効率よく誘導できるような小規模灌漑のニーズが極めて高く

なっています。

　全国の農民の意見を聞きながら、ニーズに合致した灌漑設備をデザインして建設し、これをきちんと運営しモニタリングするためには、灌漑局の人材の能力を強化してキャパシティを十分に強化する必要があります。従来は、技術的な側面に重点が置かれていましたが、今後は社会経済面にも対応できる能力を持った人材育成を強化する必要があります。

7-3 既に見られる熟練労働者の不足

タイへの出稼ぎは300万人。
給与レベルの違いが熟練労働者の帰国を難しくしている

　6,200万人の人口を抱えるミャンマーですが、最近のミャンマーブームにより一気に労働者の売り手市場になりつつあります。ミャンマー国内の経済が長く低迷し国内での仕事が減ったことから、隣国のタイにだけでも300万人を超えるミャンマー人が合法、非合法を含め出稼ぎに行っており、タイの建設現場や漁港などタイ人が3K（きつい、汚い、危険）労働だとして嫌う仕事を忍耐強く行っています。

　このため、ミャンマーでは既に熟練労働者が不足しています。タイは外国投資が2012年も前年比で倍増するなど経済が好調なことから労働者不足が深刻で、タイから人材確保のためにミャンマーに来た日本人に対しては、「タイに戻ってミャンマー人の熟練労働者を探した方がベターではないですか」とアドバイスする人もいるほどです。最近、タイで認められるようになった工場内のラインでの外国人労働でも、ミャンマー人がタイ人以上の良質な労働力であることはタイ人経営者から聞かされることです。

　ミャンマーブームになったとは言え、タイとの給与格差が倍以上ある現実が続く限りは、ミャンマーに戻る人は少ないと予想されます。出稼ぎの目的は高い収入を得ることだからです。今後、ミャンマーの給与水準が数倍に上昇すればタイなど海外に出稼ぎに行っているミャンマー人は帰国し始めることでしょう。

　熟練の従業員を増やしたいと考えるミャンマー企業では、採用に当たり3年間は働くことを約束させる企業もあると言います。ミャンマーへの投資ラッシュから、優れた人材の確保は日増しに難しくなっています。ミャンマー視察などを通じて優秀なミャンマー人と巡り会えた場合、100％外資の企業などを設立する前に例えば市場調査などの合弁会社を設立し、将来の人材として確保

するのも1つの方法かも知れません。

　安くて優秀で、豊富な労働力があるミャンマーの中心的な産業は縫製業でした。しかし、その規模は数千もの工場があるバングラデシュに比べて小さいものです。2003年7月に米国がミャンマーの軍事政権に経済制裁を発動したため、400社ほどあったミャンマーのガーメント（縫製品、衣服）工場は2008年時点で165社にまで激減しました。経済制裁下でも輸出に取り組んだミャンマーの縫製業は80社ほどあり、経済制裁に緩やかな欧州市場に輸出したり、マレーシア経由でマレーシア産として米国に輸出して生き延びてきたローカル企業もあります。

　そんな中、多くを米国市場に頼っていたミャンマーの衣料工場が閉鎖され、職を失った熟練の縫製工の多くはタイなど海外で働いています。そこでは得意な縫製作業ではなく、多くは建設労働など他の業種に従事しています。ミャンマーで縫製の熟練工が多く育っていたにも関わらず、その人材は国内にとどまっていないのが現状なのです。

　ミンガラドン工業団地の隣にある「ヤンゴン工業地区」内に工場を新築し、2012年から生産を始めたローカルのスマイルワールド社でも、「最初から熟練工を採用することは難しく、ミシンの扱い方を教えることから始める」と言います。たった半年間で日本メーカー製のミシン約350台を備えた新工場で生産を軌道に乗せ、生産した半分をミャンマーの国内市場で販売し、残る半分を輸出しているそうです。この本格的な縫製工場を立ち上げるまでは、ヤンゴンのチャイナタウンで従業員は5〜6人規模、チャイナタウンに住むミャンマー人の家での内職に頼って受注をこなしてきたというのですから驚きです。

7-9 2015年を巡る動き

2015年に行われる第2回総選挙が民主的に行われるか注目。
テインセイン大統領の指導力に期待する声も

　2015年は、東南アジア諸国連合（ASEAN）経済共同体（AEC）が発足する年ですが、ミャンマーにとって極めて重要である第2回の総選挙が行われる年でもあります。2010年の第1回総選挙には、国民民主連盟（NLD）のアウンサンスーチー議長らは選挙を事実上ボイコットして立候補しませんでしたが、2015年の総選挙では、2012年の補欠選挙を経て現在は既に野党第1党になっているNLDが総力を挙げて戦う選挙となります。この2015年の総選挙が民主的に行われることを見届けてこそ、米国は経済制裁を全面的に解除すると言っています。

　国民民主連盟（NLD）やその議長のアウンサンスーチー氏に熱狂しているわけではない普通のミャンマー人の中には、過去の選挙結果が軍事政権に無視された経緯から「1期だけでもアウンサンスーチー氏を大統領にさせてみるべきだ」と考えている人が多いようですが、現状の憲法では不可能です。憲法で外国人と結婚した親族がいる場合は国のリーダーになれないことになっており、英国人の夫は既に死去しているとは言え、弟に外国人の伴侶がいるアウンサンスーチー氏は現行憲法の改正をしない限り大統領には就任できません。

　2008年に制定された現行のミャンマー憲法では、軍が議席の25％を占め、大統領、副大統領2名という最高指導者3人のうちの1人が大統領として指名される権利があります。2012年7月にティンアウンミンウー副大統領が辞任、その後任に柔軟路線のミンスエ ヤンゴン管区首相が内定しましたが、子息の配偶者が外国人の場合は指導者になれないという憲法の規定から、ニャントゥン海軍司令官が新しい副大統領に就任しました。

　2011年2月4日、ミャンマー国会は、上下両院の議員投票で民政移管後の新政権の初代大統領として、軍事政権序列4位で2007年から首相に就任していた

テインセイン首相を選出し、副大統領に軍事政権序列5位でSPDC第一書記のティンアウンミンウー氏と、医師のサイマウカン議員の2人を決めました。この3人ともに軍事政権をサポートしていた連邦団結発展党（USDP）のメンバーで、テインセイン大統領は首相時代にUSDPの初代党首に就任していました。

　民主化を急ぎたい軍事政権は、1988年のクーデターの2年後に総選挙を実施するという間違いを起こします。その総選挙で国民民主連盟（NLD）が予想外の大勝利（8割を超える議席を取得）という結果に驚いた軍事政権は、この選挙結果を無視してしまいました。2012年4月1日の補欠選挙では、民主主義を演出するためにNLDが勝利するようにとUSDPは選挙活動をしませんでした。結果、45議席中の43議席をNLDが獲得するというNLDの圧倒的勝利に終わりました。

　テインセイン大統領は就任時から一貫して5年間の1任期だけで引退することを表明してきました。そのテインセイン大統領が、2012年10月21日に首都ネーピードーで開いた初の公式記者会見で、2016年3月までの5年間の任期後も「国民が望むなら2期を務めることも考える」と明らかにしましたが、再任を望む声は国内外にあります。テインセイン大統領は大統領就任後から今日までの発言、行動から市場経済を重視し、対外的には開放政策で外資誘致を図りたいと考える進歩派で、元軍人とはいえ人格者として評価されています。

　ミャンマーの指導者には、変化を望まない保守派が多いことも明らかになってきていますが、「国」を経営する能力も高いテインセイン大統領が2期10年に渡りミャンマーを指導すれば、ミャンマーはかなりの国へと成長できるだろうとの予測もあります。ミャンマーが経済発展の遅れを取り戻すためには、テインセイン大統領の強い指導力が必要なのかも知れません。

　ミャンマーは2014年、ASEAN議長国に就任します。これまでのASEANでは原則的に加盟国が国名のアルファベット順で毎年交代して議長国に就任する輪番制を取っていますが、2011年11月17日、インドネシアのバリ島で開催されたASEAN首脳会議で、ミャンマーがこの輪番制を離れて、2014年の議長国

就任が正式に決定しました。輪番だと2014年がラオスで2016年がミャンマーですが、これを前倒しにミャンマー政府が他のASEAN各国にお願いしてまで議長国に早くなりたいのは、ミャンマーで次の総選挙の年である2015年までに国際的地位の向上を図りたいからです。

　2005年には、ミャンマー側からこのASEAN議長国の座を辞退したこともありました。2005年7月にラオスのビエンチャンでのASEAN外相会議に出席していたミャンマー外相は、ミャンマーの順である2006年夏から1年間のASEAN議長国の座を「少数民族問題などの内政問題に専念する」として辞退、代わってフィリピンが議長国に就いたほどでした。それに比べると、ミャンマーのこの数年の国威向上には目覚ましいものがあります。2013年にはミャンマーの首都ネーピードーで、ASEANのオリンピックと言われるシーゲーム（東南アジア競技大会＝SEA Games）が開催されますが、自力によるメインスタジアム、選手村などの建設が最終段階を迎えています。

7-5 再発のおそれもある少数民族問題

人口の3割が少数民族。
現政権との和平が進む一方で、予断を許さない状況続く

　アジアの国が経済発展する際に最も大切なことは、国が安定していることです。ミャンマーの場合、2015年の2回目の総選挙をクーデターなどが起きないように乗りきり、その後もミャンマーで安定が保てるかどうかが鍵となります。

　ミャンマー人口の7割ほどがビルマ族で、残る3割は134もの少数民族です。独自の軍隊を持つ武装勢力も20ほどあります。この全てがミャンマー政権、ミャンマー国軍と戦っているわけではなく、国軍と協力している武装勢力（軍）もあります。最大の少数民族はシャン族で国民の約1割で、ミャンマーの東北部の中国国境のワ（WA）地区がその中心です。

　かつて麻薬で資金を稼いだワ族のワ州連合軍（ワ軍）は2万人もの独自兵力を保有しており、ミャンマー国軍の反政府勢力掃討作戦に協力したこともあります。少数民族であるPNO（パオ族民族会）は、非武闘派とされながらも将軍を筆頭とした独自の軍隊を保有しており、早くから軍政と協調してきました。

　少数民族の問題は、テインセイン政権の努力で和平が進んでおり、2012年も戦闘が続いたのは北部のカチン独立軍（KIA）だけとされてきましたが、カチン族の他、カレン族、シャン族なども分離独立を求めてきました。軍事政権時代の報道管制で実態はわかりませんが、以前はヤンゴンでも少数民族にからんだ爆発事件が頻繁にあったことを考えると、このところそのような事件は激減していることを見ても、事態は良い方向にあるようです。しかし、少数民族問題はいつ再発するかまだ予断を許さない状況とも言えます。

　また、国籍を奪われている少数民族として、イスラム教徒のロヒンジャー族が挙げられます。この民族は、ベンガル湾に面したラカイン州を中心に約100

万人がミャンマー国内におり、2012年には仏教徒であるアラカン族との間で衝突が発生しました。アウンサンスーチー氏が欧米視察の折にこの問題への関与が願われましたが、この問題を無視したことから欧米の少数民族支援の活動家などを失望させたと言います。

　アウンサンスーチー氏についてですが、2012年8月7日に下院に新設された「法の支配」「平和安定」に関する委員会で委員長に選ばれました。ミャンマーの下院にはこれまでに数十の委員会がありますが、従来の各委員会の委員長の全員が与党の連邦団結発展党（USDP）から選ばれていたことを考えると画期的なことです。また、ザガイン地域の最大都市であるモンユワ（Monywa）近郊で2012年に入ってから起きている銅鉱山に対する住民の反対運動に関する調査委員会が設置され、アウンサンスーチー氏がその委員長として議会で選ばれました。ミャンマーの人々は、アウンサンスーチー氏が問題をどのように解決できるかを注視しているようです。

【第8章】
CHAPTER.8

日本の取り組み

8-1 これまでの日本の政府開発援助

第2次大戦後の独自路線から、
軍事政権下では無償資金協力と技術協力に限定し実施

　古くからミャンマーと付き合いがあった人達にも、これからミャンマーと関わりを持とうと思っている人達にとっても、安心して協力し交流できる開かれたミャンマーが、「真の開発パートナー」として存在できる可能性が見えてきました。軍事政権が続いている間、日本はミャンマーとの関わりを最小限にとどめ、じっと待っていたとも言えます。欧米諸国が課した経済制裁とは一線を画し、ODAを最小限に抑えつつ維持し、民間投資と貿易は細々と継続されてきました。したがって、ミャンマーの民主化が突然出現して、驚きと同時に待っていた甲斐があった、というのが多くの関係者の本音かも知れません。しかしながら、日本とミャンマーが「真の開発パートナー」となり得るかどうかは、正にこれから双方の関係者がどこまで真摯に誠実にパートナーシップを構築しようと努力するかに掛かっています。

これまでの日本の政府開発援助

　日本が第2次世界大戦以前からミャンマーの独立運動に関わったこともあって、1988年のクーデターによる軍事政権設立後も、日本政府は、親日的なミャンマーとの友好関係を維持することに腐心してきました。したがって、西欧諸国の経済制裁や国際機関の援助停止措置にも同調せず、国民生活に直結する技術協力と人道分野の無償資金協力を維持してきました。

　また、民間部門では、1972年、元日本兵の人達が「日本ビルマ文化協会」（その後「（社）日本ミャンマー友好協会」と改訂）を設立し、戦友の遺骨収集やミャンマー各地の人々との友好・交流関係を継続してきました。

　これまでの日本の政府開発援助の実績は、**表8.1**に示したとおりです。

表8.1　日本の対ミャンマー経済協力実績

(支出純額ベース、単位：100万米ドル)

暦年	政府貸付など	無償資金協力	技術協力	合計
2006		13.35	17.48	30.84
2007		11.68	18.84	30.52
2008		23.77	18.71	42.48
2009		24.50	23.77	48.28
2010		21.56	25.27	46.83
累計	1,310.74	1,396.70	421.74	3,129.12

出所：外務省政府開発援助白書、2011年版、我が国の年度別・援助形態別実績
原出典：OECD/DAC

　1980年代、日本は毎年約250〜450億円程度の円借款、約80〜120億円程度の無償資金協力、約10〜12億円の技術協力を1987年まで供与していました。しかしながら、1988年に軍事政権が設立されてからは、円借款の新規供与は停止され、無償資金協力と技術協力が緊急・人道支援や人づくりといった、限定された分野を中心に継続されてきました。その後、2003年に軍事政権が7段階の民主化ロードマップを示した頃から、日本の政府開発援助は徐々に増加傾向を示し、以下のような分野と規模で行われてきました。

●無償資金協力は保健・医療、農業・食糧、災害・復興、人材育成などの援助に向けられています。ミャンマーでは肝炎、結核、エイズ、デング熱、ポリオ、マラリアなどの感染症の発生率がいまだ高く、病院、診療所の整備並びにワクチンの接種などの対策が急がれています。また、就学率は比較的高いものの学校の施設は非常に劣悪で、小学校の各教室は間仕切りがなかったり、視聴覚教育、理数科教育の資機材は皆無といった学校が少なくない状態です。草の根・人道支援無償資金は、そのような学校や病院・診療所の資機材の整備並びに飲料水の確保などを支援しています。

● 技術協力は、研修員を毎年370～550人を受け入れ、専門家を100～130人派遣し、70～100人の調査団を派遣しています。これまでの技術協力は、主としてミャンマーの人材養成に重きをおいて実施されてきましたが、その規模は極めて限られたものでした。今後、民間部門の発展を促進するためには、IT関連、貿易実務、経営管理、簿記、金属加工、工業デザイン、さらには行政機関の実務に従事する膨大な人材を養成する必要があります。このような人材の養成は、政府ベースの学校や訓練所設立による協力のみならず、経団連ミッションが指摘しているように、民間分野でも大いに人材養成を促進する必要があり、そのための協力も求められています。

表8.2　JICAが実施している最近の技術協力プロジェクト一覧表

■は終了プロジェクト

課題	プロジェクト名	協力期間
教育	児童中心型教育強化計画プロジェクトフェーズ2	2008年9月19日から2012年3月18日
保健医療	地域展開型リプロダクティブ・ヘルス・プロジェクト	2005年2月1日から2010年1月31日
保健医療	主要感染症対策プロジェクト	2005年1月19日から2012年1月18日
水資源・防災	中央乾燥地村落給水技術プロジェクト	2006年12月4日から2009年10月31日
情報通信技術	ソフトウェアおよびネットワーク技術者育成プロジェクト	2006年12月11日から2011年11月30日
自然環境保全	エーヤワディ・デルタ住民参加型マングローブ総合管理計画プロジェクト	2007年4月1日から2012年3月31日
水産	小規模洋食普及による住民の生計向上事業	2009年6月8日から2012年6月7日
保健医療	主要感染症対策プロジェクトフェーズ2	2012年3月19日から2015年3月18日
保健医療	基礎保健対策スタッフ強化プロジェクト	2009年5月3日から2014年5月2日
社会保障	社会福祉行政官育成（ろう者の社会参加促進）プロジェクトフェーズII	2011年8月3日から2014年8月2日
社会保障	リハビリテーション強化プロジェクト	2008年7月31日から2013年3月30日
ジェンダーと開発	人身取引被害者自立支援のための能力向上プロジェクト	2012年6月29日から2015年6月28日
人間開発	ミャンマー日本人材開発センタープロジェクト	2013年2月7日から2016年2月6日

出所：JICA国別実績ミャンマー
　　　http://www.jica.go.jp/project/myanmar/index.html

8-2 急展開する日本の対ミャンマー政策

新規円借款は500億円規模。ティラワ経済特区周辺のインフラ整備、ヤンゴン都市圏の火力発電所の緊急改修などに使用

これまでの経緯

2011年3月にテインセイン政権が設立されて以来、日本政府と民間はともに、ミャンマーに対する協力を強化すべく準備を始めています。メデイアの報道も増大し、連日、ミャンマーに関する記事が新聞などで報道されるようになりました。その歩みは**表8.3**のようになっています。

ミャンマーの急速な民主化の推進は、国際社会の予想を超えて早いピッチで進められています。しかしながら、ミャンマーの実情は、国民の4分の1が貧困層であり、経済が発展するために不可欠な経済制度とインフラが未整備です。社会が安定して経済発展するためには、民主化と国民和解を進めながら、経済制度とインフラを整備する取り組みが必要です。他方、外国投資と国際支援活動がミャンマーの受け入れ能力を超えて提供され大混乱するといった乱開発の事態を招かないよう、当事者が十分に留意する必要があります。

これからの対ミャンマー支援策

日本政府は、2013年以降の対ミャンマー支援を、以下の3つの大方針の下に実施する計画です。

(1) 国民生活向上のための支援

これは、少数民族や貧困層に対する支援や農業開発、地域開発といった社会的弱者と貧困層が多く居住する地域の開発を進めて、貧困削減に資する開発を進めるものです。具体的には、次のような分野の協力が予定されています。

表8.3　日本の対ミャンマー政策の歩み

年月	特記すべき事項	具体的な変化の内容
2011年10月	ワナマウンルイン外相の来日	日本から16億円規模の緊急電力供給能力回復無償の提供および26億円規模の少数民族福祉向上支援の実施の確認。
2011年12月	日本商工会議所調査団の訪問	大メコン圏ビジネス研究会はミャンマーで「第8回日本・ミャンマー商工会議所ビジネス協議会合同会議」を開催し、今後の協力の仕方について共同声明を発表。
2011年12月	玄葉外相のミャンマー訪問	玄葉外相は民主化と国民和解への指導力を評価して、人的交流、経済協力、経済、文化交流における日本の協力を確認。
2012年1月	枝野経済産業相ミャンマー訪問	枝野経済産業相はミャンマー政府関係者と協議して、インフラ整備と産業の育成、貿易・投資拡大のための環境整備およびエネルギー鉱物資源分野での協力推進を表明。
2012年4月	テインセイン大統領の訪日	日緬首脳会談の共同声明が発表され、国民生活の向上、経済・社会を支える人材の能力向上や制度の整備、持続的経済成長のためのインフラや制度の整備への支援を確認。
2012年4月	ティラワ・マスター・プラン策定のための協力に関する意図表明覚書	玄葉外相、枝野経済産業相およびテインナインテイン国家計画経済開発大臣は、ティラワ経済特区の推進に関する日本側の協力を意図表明する覚書に署名。
2012年6月	文化・スポーツ交流ミッション派遣	国際交流基金が白石隆政策研究大学院大学学長を団長とするミッションを派遣し、日本政府に対する提言を提出。
2013年1月	麻生財務相の訪問	テインセイン大統領と会談し、ミャンマーの延滞債務5,000億円の内、3,000億円を放棄し、残りの2,000億円を邦銀によるつなぎ融資で解消する方針並びに3月までに円借款500億円を再開することを表明。
2012年4月	1989億円の円借款供与	邦銀のつなぎ融資により、延滞債務を解消し、新たに同額の「社会経済開発支援借款」を供与。新政権発足以降のミャンマー政府が進めるマクロ経済運営・開発政策や社会セクター(教育・保健)、ガバナンスなどの分野における各種改革に対する支援に使用される。
2012年9月	日本商工会議所ミッションの訪問	日本商工会議所の岡村会頭を団長とするミャンマー・ベトナム経済ミッションを派遣し、「第9回日本・ミャンマー商工会議所ビジネス協議会合同会議」を開催。
2013年2月	経団連ミッションの訪問	経団連の米倉会長を団長とする140人の大型ミッションを派遣し、投資協定の早期締結、インフラや投資環境整備、人材育成などで意見交換し覚書を署名。

出所：当センターにて作成

- 農業・農村開発：農業生産性の向上、農業機械購入への支援
- 少数民族地域への支援：少数民族地域の農村開発、食糧支援、道路建設調査、国内避難民への支援
- 防災：洪水対策、植林による沿岸部防災機能強化、気象観測装置の整備のための調査
- 医療・保健：保健・医療サービスの整備、主要感染対策
- 草の根無償、NGOとの連携強化

(2) 経済・社会を支える人材の能力向上や制度の整備のための支援

民主化推進のための支援を含め、毎年、400人規模の留学生、研修員を日本に受け入れて人材育成を推進するものです。

- 制度整備・運用能力向上：行政手続きの透明性、効率向上、法制度運用能力の向上などの支援：財政制度、開発計画策定、証券取引市場育成、金融制度、経済特区の法整備、投資促進などを含む
- 産業技術者育成と制度整備：ミャンマー日本人材開発センター設立、計量標準機関の強化
- 教育支援：留学生、基礎教育の改善、草の根無償による施設の改善
- JICAボランティア事業の開始

(3) 持続的経済成長のために必要なインフラや制度の整備などの支援

円借款も活用してインフラなどの整備を推進し、民間部門の継続的な直接投資を可能にします。

- ヤンゴン・ティラワ地域開発構想（YTDI）：ヤンゴン都市圏開発、ティラワ港拡張に向けた調査、ヤンゴン都市圏上下水道整備マスタープラン策定、ヤンゴン都市交通整備
- 交通網の整備：全国運輸交通マスタープラン策定、航空安全設備の整備に向けた調査、ヤンゴン市内交通整備のための調査、鉄道の運営改善と近代化
- エネルギー：バルーチャン第二水力発電所補修

円借款によるこれからの協力

　2013年1月15日、JICAと財務歳入省との間で、1,989億円の円借款契約が調印されました。この円借款は、これまでの累積債務の一部を民間銀行のつなぎ融資に基づいて債務返済が行われたことによって、同額の円借款を「社会経済開発支援借款」として、ミャンマーの財政を支援する目的で新たに供与されたものです。

　この種の借款は、プログラム・ローンと言われるもので、マクロ経済の運営・開発政策や教育・保健などの社会部門、改革と包括的な経済成長の基盤強化を支援するために使用されることになっています。借款の条件は、年利0.01％、期間40年、据え置き期間10年と非常に譲許性の高い借款です。コンサルタントの雇用や工事に係る国際入札はありません。

　ミャンマーの累積債務問題が解決されたことによって、日本政府は、2013年3月以降、26年ぶりに新規借款を500億円規模で行うことを検討しています。新規借款は①ヤンゴン近郊に建設を予定されている「ティラワ経済特区」周辺のインフラ開発（約200億円）、②ヤンゴン都市圏の火力発電所の緊急改修（約190億円）、③14の地方自治体の生活基盤改善を通じた貧困削減（約170億円）の3項目に主として使用される予定です。

　従来、円借款大口供与国であった中国、インド、インドネシアといったアジアの主要な国々が発展し、円借款の需要が減少する中にあって、ミャンマーは今後最も円借款を必要とする国として脚光を浴びています。インフラの整備には多大の資金が必要とされますが、インドと中国に挟まれたその立地条件からしても、東西・南北回廊の要衝として、近隣諸国との交通・流通を可能にするための道路、鉄道、電力、交通・通信、空港、港湾および灌漑などのインフラ整備は、緊急の課題となっています。

民間によるこれからの協力

　ミャンマーの経済民主化、自由化の進展に伴い、民間部門の貿易・投資および観光・人的交流が急激に増大しています。このため、ホテル、外国人用住宅や交通手段の不足からこれらの料金が著しく値上がりしていますが、この傾向は、今後数年は続くものと予想されます。

　日本商工会議所の岡村会頭を団長とする経済ミッションは、2012年「第9回日本・ミャンマー商工会議所ビジネス協議会合同会議」を開催しました。両商工会議所は、今後の日本とミャンマーとの経済連携を強化するために①二国間投資協定の早期締結、②官民対話スキーム「日ミャンマー共同イニシアチブ」の早期立ち上げ、③ミャンマー経済特区の開発促進に向けた両国政府による支援・指導、④ミャンマーの中小企業育成のための日本の人材開発支援・技術支援・金融支援、の4項目をそれぞれの政府に対して要望していくことに合意し、共同声明を採択しました。

●「ミャンマーに関する官民連携タスクフォース」の設立

　テインセイン大統領の訪日の結果、日本政府は、債務問題を解決して本格的なミャンマー支援を行うことになりました。そのため、政府は8月下旬に9省庁と経団連を含む約10の機関と団体で構成される「ミャンマーに関する官民連携タスクフォース」を発足させました。1つの国に対する支援を行うためにオールジャパンの体制がつくられることは、極めてまれなことです。政府側の参加者は、審議官クラスと言われ、かなりハイレベルの布陣となっています。

　他方、政府関係機関としては、国際協力機構、日本貿易振興機構、日本経団連、日本商工会議所、石油天然ガス・金属鉱物資源機構、新エネルギー・産業技術総合開発機構などが参加しています。同タスクフォースは、1カ月に一度のペースで会合を開き、ミャンマーの日本に対する要望も取り入れて、行動計画を取りまとめる予定です。

● 「日本ミャンマー経済委員会」の設置

　2013年2月7日、日本経団連の米倉弘昌会長は、ミャンマー連邦商工会議所（UMFCC）のウインアウン会頭と経済相互協力のための覚書に署名しました。この中で、両国の官民参加者による合同会議の開催が合意されました。合同会議には日本側から経団連の勝俣宣夫日本ミャンマー経済委員長、三菱商事の小林健同委員会共同委員長並びに日本企業の関係者と外務省、経済産業省などの担当者が参加し、ミャンマー側からはカンゾー国家計画経済開発相、UMFCCIの幹部が出席する予定です。ミャンマーのビジネス環境を整備するための法制や税制の拡充などを行動計画として策定するための協議や、産業の担い手となる人材育成の具体策を協議することになっています。

　日本は調査団ばかり派遣して、なかなか投資の決定をしないというミャンマー側の反応がありますが、現状をしっかり把握した上で、問題が起こらないような投資計画を進めることは、長い目で見ればミャンマーのためにも良い結果を得ることになります。ミャンマーとの「開発パートナーシップ」の構築は着実に、ともに計画し、ともに実行することが、何よりも重要かつ効果的です。

8-3 貿易保険の再開

クレジット・ラインの創設、中長期の貿易保険の再開、短期の貿易保険引き受けの拡大を決定

　2012年1月13日に、枝野経済産業大臣（当時）はミャンマーの閣僚との会合において、日本の民間企業のミャンマー・ビジネスを後押しするために、期間2年以上の貿易保険を再開することを表明しました。これを受けて、独立行政法人日本貿易保険（Nippon Export and Investment Insurance-NEXI）は、「ミャンマーにおいて日本企業が行う2年以上の輸出入、海外投資あるいは融資といった対外取引において発生するリスクに対して、契約当事者である日本企業が被る損失をてん補（カバー）する」業務を表8.4のように再開しました。

表8.4　ミャンマー対象の貿易保険

	保険種	基準適用日	引受方針	案件枠（億円）	ユーザンス制限	L/C条件	その他条件
2年未満	貿易一般保険	2010/10/01	○	5	12	有	
	貿易代金貸付保険	2010/10/01	○	5	12	有	
	中小企業輸出代金保険	2006/09/11	○			有	
	輸出手形保険	2002/04/01	○	0.5	12	有	
	前払輸入保険	2010/10/01	○				
	限度額設定型貿易保険	2010/10/01	×				
	簡易通知型包括保険	2010/10/01	○			有	
2年以上	貿易一般保険	2012/01/23	○※				※政府保証またはリスク軽減措置
	貿易代金貸付保険	2012/01/23	○※				
	海外事業資金貸付保険	2012/01/23	○※				
	海外投資保険（償還型）	2012/01/23	○※				
	海外投資保険（非償還・混合型）	2012/01/23	○				

出所：独立行政法人日本貿易保険
　　　http://www.nexi.go.jp/cover/country?c=122

発表によりますと、貿易保険はミャンマーの民主化や経済の改革を支援するために以下の3つの柱から成る支援を提供します。
(1) クレジット・ライン（貿易保険の引き受け枠）の創設
　今後2年間で、ミャンマー向けの貿易保険に5億ドルのクレジット・ラインが設定され、貿易保険が積極的に引き受けされるようになります。
(2) 融資保険などの中長期の貿易保険の再開
　資源エネルギー関連プロジェクト、インフラ関連プロジェクトなどについて、ミャンマー政府による融資支払い保証などの支払確保計画が構築されることを前提に、中長期の案件を引き受けます。
(3) 短期の貿易保険引き受けの拡大
　短期の貿易保険（2年以内）については、現在まで厳格な運用が行われてきましたが、今後は農業機械などの輸出については、弾力的な対応が行われます。

　貿易保険は、3種類に大別されています。
(1) 輸出保険
　海外における、「非常リスク」あるいは「信用リスク」が発生したことによって、船積みが出来なくなったり、船積後に代金回収ができなくなったりした場合の損失が貿易保険によりカバーされるものです。
(2) 貸付保険
　日本の銀行などが、外国の輸入業者に対して、日本から貨物を購入する資金を融資した場合に、「非常リスク」や「信用リスク」が発生したことによって、貸し出した資金が償還不能になった場合の損失が貿易保険によりカバーされるものです。
(3) 投資保険
　日本の企業が海外の子会社や合弁会社を設立した場合に、「非常リスク」や「信用リスク」が発生したことによって、その会社が事業を継続できなくなった場合などの損失が貿易保険によりカバーされるものです。

「非常リスク」と「信用リスク」とは、**図8.1**に列挙するようなリスクを指しています。

「非常リスク」とは、契約当事者の責任ではない不可抗力的なリスクを言います（Country Risk、Political Riskとも言います）。

「信用リスク」とは、海外の契約相手方の責任に帰せられるリスクを言います（Commercial Risk、Credit Riskとも言います）。

非常リスク	・為替制限・禁止、輸入制限・禁止 ・戦争、内乱、革命 ・支払国に起因する外貨送金遅延 ・制裁的な高関税、テロ行為 ・経済制裁 ・収用 ・自然災害、その他、契約当事者の責によらない自体
信用リスク	・外国政府など※を相手方とする輸出契約などの一方的キャンセル （※民間バイヤーの一方的キャンセルは対象外） ・契約相手方の破産 　破産に準ずる事由 ・契約相手方の3カ月以上の不払い （商品クレームなど輸出者に責ある場合を除く）

これらの事態発生により…

以下の損失をカバーする

貨物を船積出来ないことにより被る損失
（船積前のリスク）

貨物代金、役務対価、ことにより被る損失
（船積後のリスク）

合弁事業などの継続不能や事業休止により投資資産が被る損失
（海外投資のリスク）

出所：独立行政法人日本貿易保険
http://www.nexi.go.jp/cover/country?c=122

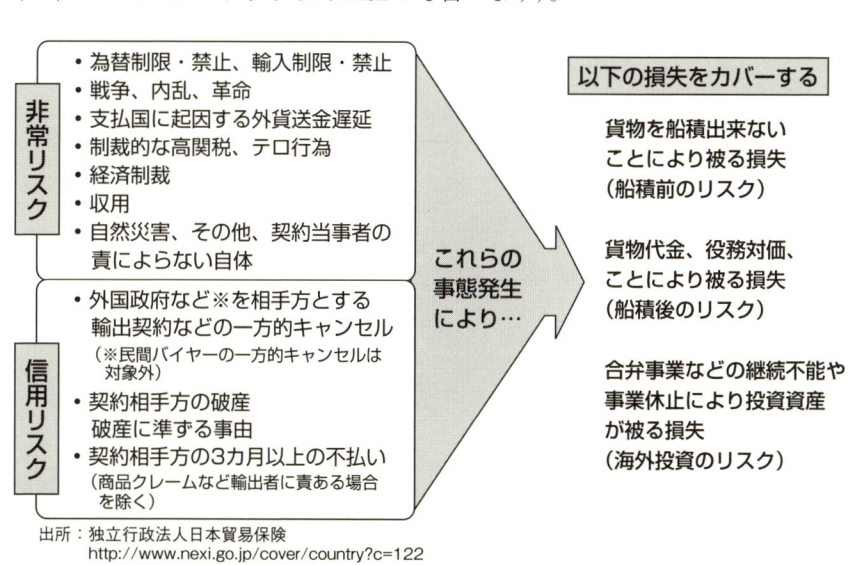

図8.1　「非常リスク」と「信用リスク」

●ティラワ経済特別区開発における貿易保険の適用可能性

インフラのプロジェクトでは、現地通貨建て融資の必要性が増大しているところから、「外貨建て特約」の取り扱い通貨が拡充されています。ミャンマーの「チャット建て融資」は、今のところこの適用がなされていません。もし適用されますと、ミャンマーでの「非常リスク」が発生し、JVが3カ月以上事業休止に至った場合や事業継続が不可能になった場合には、日本企業の簿価での純資産持ち分の95％までが貿易保険でカバーされます。また、企業のJVへ

の輸出取引に関して、船積み不能や代金回収不能のリスクを輸出保険でカバーすることができます。

　国際協力銀行との協調融資に対する付保率を最大100％に引き上げる措置が取られていますので、民間金融機関はリスクをフルにヘッジ出来るようになっており、資金供給が容易になっています。

ヤンゴン郊外の木材工場

【第9章】
CHAPTER.9

日本企業の進出事例

震災を乗り越えてミャンマーとの絆を大切にする蒲鉾の老舗

1 ㈱高政

㈱高政社長　**高橋正典**　氏

【 会社概況（本社）】
- 会社名：㈱高政
- 所在地：宮城県牡鹿郡女川町浦宿
- 代表者名：高橋正典
- 投資額（資本金）：5,000万円
- 進出（創業）時期：昭和12年1月
- 業務内容：蒲鉾製造業
- 従業員数：186人

進出の動機

　㈱高政は蒲鉾の高政として、ブランドは有名です。所在地は宮城県牡鹿郡女川町浦宿にあり3.11の東日本大震災で大きな被害を受けました。店舗のある仙台、女川、石巻などはほぼ壊滅に近いダメージを受けましたが、再生に向けて計画は着々進みつつあります。その活力は経営理念「地域と人材を大切にする、人とのつながりを大切にする」にあり、ミャンマーにも大きな貢献をしています。今回の被災に対してミャンマーからの熱い声援を受けて再建中です。
　ミャンマー事業のきっかけは1983年で、すり身生産の技術指導のためにミャンマー南部のタニンダーイ地域・ダウェイという町に滞在したことに始まります。魚資源が世界的に枯渇しつつある状況の中、ミャンマー沖アンダマン海の漁場は資源が豊富です。鮮度を維持して高政の製造技術を投入すれば、高品質なすり身の生産が可能であると確信しました。

ミャンマー人との信頼関係が大きな絆となった

　高政の輸入総代理店として製品を一手に担うミャンマー産すり身の供給先である「ペイロンチャンタ トレーディング社」は、ミャンマー最大の都市ヤンゴンにあります。今後はペイロンチャンタ社に魚粉工場を増設し、従来の魚肉・すり身同様に100％取り扱う予定です。

> ミャンマー人は日本人に好意的で、何事にも勤勉です。敬虔な仏教徒で、素朴さ・おおらかさ・控えめな仕草に戦後忘れ去られていた日本の姿を感じ取ることができました。高政は日本とミャンマー、地域に貢献する企業としてより一層邁進していきます。
> （社長の一言）

ミャンマーのすり身工場・高政の協力企業

【 会社概況 ㈱高政協力工場 】
- 会社名：ペイロンチャンタ トレーディング社
- 所在地：ヤンゴン市
- 代表者名：ウチョリン
- 日本側出資企業：㈱高政（40％）
- 業務内容：蒲鉾用の魚肉すり身を製造、日本に輸出
　　　　　　㈱高政の輸入総代理店
- 従業員数：120人

　㈱高政は現地事務所を開設しており、現地から研修生を受け入れています。

ミャンマーの人材を大切にする医療機器メーカー

2 マニー㈱

MANI YANGON社長　榎本　勲　氏

【 会社概況 】
- **会社名**：MANI YANGON LTD.
- **所在地**：ヤンゴン地域
- **代表者名**：松谷正明（本社）
- **日本側出資企業**：マニー株式会社本社
- **投資額**：3億3,100万円（本社資本金9億8,800万円：2012年）・投資比率：100％
- **進出時期**：1999年
- **業務内容**：手術用縫合針、各種手術機器、歯科医療機器の開発・製造
- **従業員数**：350人（2012年度）

ベトナムでの成功事例をミャンマーで展開

　MANIは医科医療機器の製造分野でニッチではありますが、世界市場で高いシェアを有する宇都宮に拠点を置く中堅優良企業です。また、ASEANへの展開を積極的に進めてきたことが大きな成功の基礎となっています。ミャンマーへMANI YANGON LTDとして1999年に進出しました。同社はベトナムのハノイにMANI HANOI CO.として1996年に進出しており、ハノイ工場は2003年に工場拡張、さらに2010年には販売拠点を置いています。また、2009年にはラオスにおいてMANI VIENTIAN CO.をスタートさせました。MANIの場合はベトナムでの成功事例をミャンマーやラオスに展開することで、現地

の問題を共有し（特に人材育成の視点で）成功してきました。この結果、ミャンマーのカントリーリスク回避やコスト低減のメリットを享受しています。MANI YANGON LTDはベトナムのMANIと連携しており、人材育成などをMANI HANOI CO.に依存しています。

人材確保のため、独自の進出先選定を実施

人材育成がMANIの大きな特徴であり、特にミャンマーへの進出では必要な人材を確保するため、ヤンゴンの郊外に立地させ、あえて工業団地へ進出しませんでした。また、日本人を極力少なくし（日本人は1人）、現地人を起用することを基本としています。ヤンゴン工場は近郊には他の工場はなく、村全体がMANIへ依存する形になっており、熟練工の引き抜きや転職がなく人材確保に心配はありません。

ヤンゴン郊外のMANI工場訪問（日本の専門家と研修生）2003年度

2012年、現地ミャンマーMANIの榎本社長はヤンゴンへの工場進出についてのインタビューで、「工場設立当時重視していたのは、どれくらいの範囲でどのくらいの人口がいるかという点です。工場の従業員を集めやすいことが大前提なので、将来的に工場を拡大しても1,000人くらいまで大丈夫な場所というのが大前提にありました。それでいて、なるべく田舎という所を選びました。逆の言い方をすると、要はなるべく人が寄ってこない所で、なおかつある程度の人間を集められる場所です」と答えておられました。現在、ミャンマーブームで日系企業が多く進出することもあり、人材の確保や賃金の上昇の問題が起こりやすいのですが、MANIの場合は先を見て決断されたことが、労使間の関係の良さもあり、安心できる要因となっています。

婦人服のハニーズ、ミャンマーに第2工場

3 ㈱ハニーズ

Honeys Garment工場長　溝井正幸 氏

【会社概況】
- **会社名（ミャンマー法人）**：Honeys Garment Industry Ltd.
（Honeys Garment）
- **所在地**：ヤンゴン地域　ミンガラドンタウンシップ
- **代表者名**：溝井 正幸（工場長）
- **日本側出資企業**：株式会社ハニーズ
- **投資額**：300万ドル
- **投資比率**：株式会社ハニーズ　100％
- **進出時期**：2012年3月
- **業務内容**：婦人服の製造

進出の動機

　婦人服企画、販売、製造（SPA企業）の㈱ハニーズは、2013年3月、製造子会社　Honeys Garment　Industry Ltd.を設立し、同年4月より生産を開始しました。
　ミャンマー進出を検討するきっかけは、中国における人件費の上昇です。縫製業においては、シャツやブラウスなどパーツが多く製造工程も複雑な布の工賃が上昇したため、ASEANシフトが喫緊の課題となりました。
　ベトナムやバングラデシュなども検討の俎上に上りましたが、ミャンマーにおいては、民主化の動きが急速に高まってきていること、特に税制面での優遇が期待できること、国民のメンタリティでも日本人と親和性があることなどを

勘案して、縫製加工だけを業とするCMPカンパニーを設立するという結論に至りました。

SPA：Specialty Store Retailer of Private Label Apparel
CMP：Cutting, Making and Packing（委託加工）

進出2年目で、第2工場建設を発表

2012年4月から日本向けデニムパンツを生産している第1工場は、順調に業容を拡大し、現在は既にフル稼働の状態です。このため、2013年1月、第2工場増設の発表を行いました。第2工場の概要は、以下のとおりです。

- **建設地**：ヤンゴン地域　ミンガラドン工業団地内
- **用地面積**：2万9,950㎡
- **計画概要**：縫製工場　2,000人規模
- **生産品目**：ジャケット、シャツ、ブラウス
- **投資金額**：約6億円（土地、建物、設備）
- **竣工時期**：2014年4月（予定）

第2工場は、2014年4月の操業開始を予定しております。第2工場の稼働によって、日本および中国の消費者に対し、より一層高品質でリーズナブルな価格で商品の提供ができることになります。

日本人の労働観、日本クオリティを教育する

4 ㈱アライズ

Arise 社長　**小池正行** 氏

【 会社概況 】
- **会社名**：Arise Co.,Ltd.
- **所在地**：ヤンゴン地域
- **代表者名**：小池　正行
- **日本側出資企業**：株式会社アライズ
- **投資額**：6万0,000ドル
- **投資比率**：100％
- **進出時期**：2012年11月　現地法人設立
- **業務内容**：スマートフォンサービスの企画・開発
- **従業員数**：12人

進出の動機

　システム開発事業は、高品質、低価格、短納期という時代にますます進んできました。そのような背景に輪を掛け、優秀なシステムエンジニアの確保が日本では非常に難しくなってきております。

　こういった中、2010年にご縁あって初めてミャンマーに視察に行き、次のような複数の観点からミャンマーのエンジニアに大きな可能性を感じました。
　①仏教徒であり、両親や目上の人を敬い、大切にすること
　②ホスピタリティが高く、正直で勤勉なこと
　③日本語への順応性が高いこと
　④親日であり、日系企業で働きたいと思っていること

⑤コストパフォーマンスが高いこと

しかし、スマホやタブレット関連システムといった最新技術を手掛ける当社にとっての即戦力となる人材は少なく、大学の新卒生を採用し、会社のカラーに仕上げていくことが必要でした。

日本人の労働観と日本クオリティ

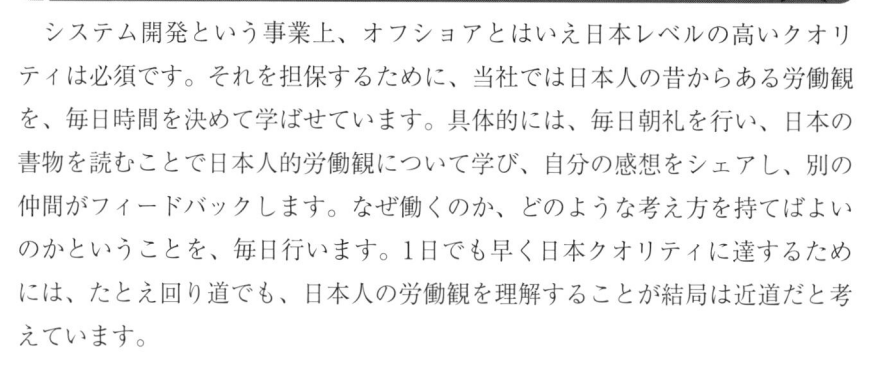

システム開発という事業上、オフショアとはいえ日本レベルの高いクオリティは必須です。それを担保するために、当社では日本人の昔からある労働観を、毎日時間を決めて学ばせています。具体的には、毎日朝礼を行い、日本の書物を読むことで日本人的労働観について学び、自分の感想をシェアし、別の仲間がフィードバックします。なぜ働くのか、どのような考え方を持てばよいのかということを、毎日行います。1日でも早く日本クオリティに達するためには、たとえ回り道でも、日本人の労働観を理解することが結局は近道だと考えています。

社内共通語は日本語です。朝礼も会議も日本語で行われています。みんなで定期的に食事会を行い、そこでも仕事の話や人生に対する考え方を話し合います。2013年に入ってすぐ、2泊3日で社員旅行に行き、考え方の共有を深めてきました。

私達も彼らの話をよく聞き、よいものはドンドン取り入れるようにしています。すると彼らもやりがいを持ち、積極的に意見を言ってくれるようになります。

叱ることはあまりありません。注意により気付かせる方法を取っています。非常に優秀な人材がそろっているので、叱らずとも気付くことができ、モチベーションがキープされています。

このような信頼関係の基盤の上に、業務上の組織作りをしていくことが大切ではないかと感じています。

日本のIT企業のミャンマー進出第1号

5 ㈱第一コンピューターズ

Myanmar DCR社長　**赤畑俊一**　氏

【会社概況】
- **会社名**：MyanmarDCR Co.,Ltd
- **所在地**：ヤンゴン市
- **代表者名**：赤畑 俊一
- **出資企業**：株式会社第一コンピューターズ
- **投資額**：5万6,000米ドル
- **投資比率**：株式会社第一コンピューターズ100％
- **進出時期**：2008年7月14日
- **業務内容**：グローバルデリバリー（オフショア開発）、日本派遣、WEBサイト構築など

進出の動機

　日本のIT企業のミャンマー進出第1号として、2008年に設立しました。ミャンマーに進出した動機は、IT人材の賃金の安さに加え、ミャンマー人の日本人と似ている所に魅力を感じたからです。まず、相手の事を考えてくれる習慣は、日本人と同じ考えでお客様の成功のことを考え、日本人と同じように日本のお客様の成功のことを考えてミャンマー人も日本人のように貢献できると感じました。語学面でも、ミャンマー語と日本語の文法が類似していることから日本語習得する能力が高く一緒に働きやすいと思います。

ミャンマーIT技術者を日本企業に紹介

　ミャンマーDCRでは社内公用語を日本語にして、朝礼も全て日本語で行っています。社内ではITの研修以外でも日本語も教えています。Digital Divideの問題で、ミャンマーの若者達は技術についての知識がまだ不十分なこともよく理解していますので、会社で採用した新入社員のため様々な研修を用意・実行しています。また、ITおよび日本語に才能がある多くの社員達を日本・タイなど海外へ派遣しています。

　特に将来、ミャンマーへ日本企業の進出が多くなると予想しています。そのためにミャンマーDCRでは技術レベルが高く、日本人のスタッフと一緒に働ける人材を育成ことが重要と考えています。そのためにIT技術以外にもモミジ日本語学校とともに日本語の能力試験や日本の職業環境、文化を教えています。最近では、そのような仕組みの下でミャンマーIT技術者を日本企業に紹介する事業にも力を入れています。

巻末付録

ミャンマーの基礎知識

1）国のかたち

歴史

(1) モン族とシュエダゴンパゴダ

　ミャンマーには古来幾多の民族が移り住みましたが、同国の歴史はシュエダゴンパゴダ建立の伝説から始まると言ってもよいでしょう。

　ミャンマーには仏陀にまつわる伝承がいくつか存在し、紀元前からモン族の王国がミャンマーの南部に存在していたことは確かなようです。多くの歴史書に見えるスワンナブーミ（金地国）は、現在のモン州にあったという説が有力です。

(2) ピュー族の王国とバマー族の南下

　1・2世紀頃からはピュー（驃）族の王朝が出現しました。ベイターノ、ハリンジー、タイェキッタヤーなどの王国です。ピュー族の遺跡からは、多くの仏教に関わる遺物が出土し、古来ミャンマーの地に仏教が伝来していたことの証となっています。

　中国の南詔によって、9世紀にピュー王国は滅亡し歴史の舞台から去りました。代わって勢力を伸ばしたのが、雲南から高原地帯を中心に南下したバマー（ビルマ、緬甸）族です。「緬甸」は、族長の長という意味の彼らの言葉ミンジーに由来しています。バマー族の最初の定住地はマンダレー南方のチャウセー地方と考えられています。バマー族は元来騎馬民族でしたが、定住するに従って農耕民族となりました。

バガンの遺跡

(3) バガン朝

　バマー族の最初の王朝はアノーヤター王によるバガン朝で、1044年からフビライの元によって1287年に滅ぼされるまで約250年間続きました。今に残る広大なバガン遺跡は、この時代のものです。

　アノーヤターはモン族のシン・アラハンを師として、広く仏教に帰依しました。王は仏典の譲渡をモン王に申し入れましたが、拒絶されたためその都タトンを攻略しました。バガンには、経典と奴隷にされたモン人が多数連れて来られました。

　バガン朝では第3代の王チャンシッターが有名です。バガンで優美さを誇るアーナンダ・パトーは、チャンシッターが建立したものです。

　現在のミャンマー国民の篤い信仰心は、モン族やピュー族の影響による所が大きいと考えられています。

(4) シャン王朝とモン王朝

　バガン朝滅亡後は、シャン族やモン族が勢力を伸ばしました。ピンヤ、ザガイン、インワなどを中心とする上ミャンマーでは、シャン系の王朝が約250年

間続きましたが、安定した政権ではありませんでした。下ミャンマーでは、バゴーを本拠とするモン族のハンターワディ朝が栄えました。この時代のバマー族は、脇役としての地位にとどまりました。

(5) タウングー朝

　バガン朝崩壊後、バマー族はシッタウン川上流のタウングー（ヤンゴン北方200km）に徐々に集結し、タビンシェエティーはポルトガルの傭兵を活用してタウングー朝（1531〜1752）を建国しました。タウングー朝で最も著名な王は第2代のバインナウンで、チェンマイ、アユタヤ、ビエンチャンなどを征服しました。

　バインナウン亡き後シャム（タイ）と抗争を繰り返し、タウングー朝は勢力を盛り返したモン族により滅ぼされました。

(6) コンバウン朝

　ミャンマー最後の王朝はバマー族によるコンバウン朝（1752〜1885）で、アラウンパヤーはモン族との長い抗争を制し、ダゴンをヤンゴン（宿敵殲滅、戦いの終わりの意）と改名しました。

ネーピードーにある偉大な3人の王の像。左からバガン朝アノーヤター王、タウングー朝バインナウン王、コンバウン朝アラウンパヤー王

コンバウン朝は、西はアッサム、マニプール、東はアユタヤ、また独立国ラカイン王国を征服し、さらには清の乾隆帝の侵攻を四度に渡り阻むなど、東南アジア最大の強国でした。3代目の王シンビューシンによるアユタヤの徹底的破壊（1767）は、怨恨として現在のタイ人の記憶に深く刻まれています。

(7) イギリスによるミャンマー領土化
　ミャンマーの資源確保を狙う欧米列強は、コンバウン朝の拡大主義に因縁をつけました。三度に及ぶイギリスとの戦い（1次1824〜26年、2次1852年、3次1885〜86年）によって、ミャンマーの国土は完全にイギリスの領土となりました。

　イギリスによる巧妙な分割統治により、多くのバマー族は軍人、警官、官吏などの職に就くことを許されず、小作人として下層階級の地位にとどまることを余儀なくされました。

　1942年、バマー独立義勇軍と共闘した日本軍がイギリスを追い払うまで、おおよそ120年間に渡ってイギリスの植民地の地位にありました。独立義勇軍には、アウンサンやネウィンら伝説の30人志士が参画しました。

(8) 大戦後
　第2次大戦後の1947年、アウンサンに反感を持つイギリス将校の策謀によって、32歳の青年アウンサンは凶弾に倒れました。その後、共産主義者や権益の確保を図る少数民族による内乱や、三度にわたるウ・ヌー政権などを経て、1962年から88年までネウィン将軍による社会主義の政権が続きました。ネウィンにより多くのインド人や中国人が国外に追放されました。

　ミャンマーの社会主義は、マルクス・レーニン主義によらない「バマー式社会主義」と言われる独自の社会主義で、中立・鎖国的な政策を執りました。鎖国政策を選択したことにより、結局は世界の動きから取り残されることとなりました。

　経済低迷と、それを回避するために行った三度に及ぶ高額紙幣廃止などによ

り、フォー・エイトと呼ばれる騒擾事件が勃発しました。1988年8月8日のことです。鬱積した不満が暴動へと発展したのです。

(9) 現在

1988年	社会主義政権崩壊
1990年	総選挙実施、国民民主連盟（NLDの圧勝）
2005年11月	ヤンゴンからネーピードーへ首都移転
2007年9月	ヤンゴンなど各地においてデモ発生
2008年5月	新憲法草案承認を問う国民投票実施
2010年11月	新憲法により総選挙実施、与党連邦団結発展党（USDP）が圧勝、選挙直後にアウンサンスーチー氏の自宅軟禁を解除
2011年3月	国家平和開発評議会（SPDC）から新政府への政権委譲、テインセイン氏が大統領に就任、国名を「ミャンマー連邦共和国」と改称
2012年4月	補欠選挙実施、NLDが全45議席中43議席を獲得（アウンサンスーチー氏の議席を含む）

国家概要・国土

(1) 位置

ミャンマーは東南アジアの西部に位置し、東側はタイとラオスに、北東部は中国に、北西部はインドに、西側はバングラデシュと国境を接しています。そして、海岸線はアンダマン海、マルタバン湾、ベンガル湾に臨んでいます。

ミャンマーは67万6,577 km²の広さがあり、南北に長く東西が狭い形になっています。最長2,052 km、最大幅は937 kmです。日本の約1.8倍の面積があり、東南アジア大陸部諸国の中で最大の面積を誇っています。

(2) 地形

　ミャンマーは山岳に富み、北から東部、西部へと山脈が広がっています。そして高地は北から南へと延びています。同国の地形は、4つに類型することができます。すなわち、東部高地、西部山岳地帯、中央平地、および沿岸地帯です。

　ほとんどの河川は、北部の高地を発し南部の海に注いでいます。著名な河川としては、エーヤワディ川、タンルウィン川、チンドウィン川、シッタウン川があります。エーヤワディ川は全長1,992kmあり、最もよく利用されています。タンルウィン川は1,281km、チンドウィン川は1,112km、シッタウン川は299kmです。

(3) 気候

　ミャンマー国土の大半は熱帯性気候で、暑季、雨季、乾季の3つの季節があります。暑季は2月末から5月中旬まで、雨季は5月中旬から10月まで、乾季は10月から2月までです。

　ラカイン州とタニンダーイ海岸地方は降雨が多く、年間の降雨量は3,800mmにもなります。デルタ地帯では年間降雨量は2,000mm程度で、乾燥地帯では1,000mmほどしか降りません。12月と1月は最も涼しく、4月と5月は最も暑い時期です。ミャンマー中部では38〜42℃、時にはもっと暑くなることもあります。

① 暑季

　暑季は2月の終わりから5月の第2週頃までで、この季節はおおむね乾燥しており、ほとんどの地方で気温が最も高くなります。ラカイン州やモン州、タニダーイ地域、エーヤワディ地域やヤンゴン地域などの沿岸地帯は、中央ミャンマーのマンダレー地域やマグウェー地域のような乾燥地帯に比べると少し低めです。緯度が低くなるにつれ気温は下がり、カチン州やシャン州のような丘陵地帯や高原地帯では、暑季でも涼しいほどです。シャン高原にあるタウンジー、カロー、およびピンウールインなどは避暑地となり、多くの人が休暇

を過ごします。

② 雨季

　雨季は、5月の第3週モンスーンの始まりの時期から10月まで続きます。ミャンマーで最も降雨量の多い地方は、ラカイン地域やタニダーイ地域のような沿岸地方で、山脈に相対した地域です。デルタ地帯や丘陵地帯も降雨量が比較的多く、中央ミャンマーの平原部は降雨量が最も少ないです。ラカイン州およびタニダーイ地域では3,800㎜以上の降雨量がありますが、デルタ地帯と丘陵地帯ではそれぞれ2,000㎜および1,500㎜の降雨量です。しかし、中央ミャンマーの年間降雨量は1,000㎜を超えることはほとんどありません。

③ 乾季

　乾季は11月から2月の期間です。貿易風が、ミャンマーよりも気温の低い北東アジアの内陸高地より吹いて、ひんやりと乾燥した季節となります。シャン高原の場所によっては、夜間と早朝には氷点下の気温になります。カチン州の最北部では、寒いときには山々が積雪することさえあります。対照的に、沿岸部のラカイン州およびタニンダーイ地域では、晴天で穏やかな気温となります。

(4) 行政区画

ミャンマー連邦共和国は7つの州と7つの地域から成ります。

① カチン州（Kachin State）　　89,042km²

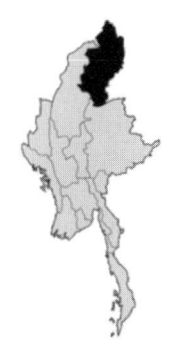

ア　ミッチーナー県（Myitkyina District）　　50,817km²
　(a) ミッチーナー郡　Myitkyina Township
　(b) ワインモー郡　Waingmaw Township
　(c) インジャンヤン郡　Injang Yang Township
　(d) モーガウン郡　Mogaung Township
　(e) モーニン郡　Mohnyinn Township
　(f) パーカン郡　Hpakant Township
　(g) タナイン郡　Tanaing Township
　(h) チプウェ郡　Chi-Hpwe Township
　(i) ソーロー郡　Sawtlaw Township

イ　バモー県（Bhamaw District）　　10,743km²
　(a) バモー郡　Bhamaw Township
　(b) シュエグ郡　Shwegu Township
　(c) モーマウッ郡　Momauk Township
　(d) マンシ郡　Mansy Township

ウ　プータオ県（Putao District）　　27,482km²
　(a) プータオ郡　Putao Township
　(b) スンプラブン郡　Sumprabum Township
　(c) マチャンボー郡　Machanbaw Township
　(d) ナウンムン郡　Naung Munn Townsnip
　(e) カウンランプー郡　Khaunglanghpu Township

② カヤ州（Kayah State） 11,732km²

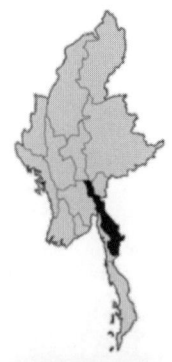

　ア　ロワインコ県（Loikaw District）　　6,565km²
　　（a）ロワインコ郡　Loikaw Township
　　（b）ディモーソー郡　Dimawso Township
　　（c）パルソ郡　Hparuso Township
　　（d）シャードー郡　Shahdaw Township
　イ　ボーラケ県（Bawlakhe District）　　5,166km²
　　（a）ボーラケ郡　Bawlakhe Township
　　（b）パサウン郡　Hpasaung Township
　　（c）メーセー郡　Mese Township

③ カイン州（Kayin State）　39,383km²

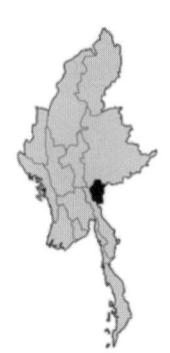

　ア　パーアン県（Hpa-an District）　　17,612km²
　　（a）パーアン郡　Hpa-an Township
　　（b）ラインブウェ郡　Hlaingbwe Township
　　（c）パープン郡　Hpapun Township
　　（d）タンダウン郡　Thandaung Township
　イ　ミャワディ県（Myawady District）　　3,136km²
　　（a）ミャワディ郡　Myawady Township
　ウ　コーカレイ県（Kawtkareik Ditrict）　　9,635km²
　　（a）コーカレイ郡　Kawtkareik Township
　　（b）チャインセイチー郡　Kya In Seikkyi Township

④ チン州（Chin State） 36,019km²

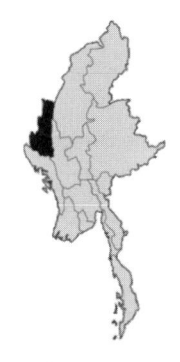

> ア　パラン県（Falam District）　16,264km²
> 　(a) パラン郡　Falam Township
> 　(b) ハーカー郡　Hakha Township
> 　(c) タンタラン郡　Htantalang Township
> 　(d) ティーデイム郡　Tiddim Township
> 　(e) トンザン郡　Tonzang Township
> イ　ミンダッ県（Mindat District）　19,755km²
> 　(a) ミンダッ郡　Mindat Township
> 　(b) マトゥピ郡　Matupi Township
> 　(c) カンペレ郡　Kanpetlet Township
> 　(d) パレワ郡　Paletwa Township

⑤ ザガイン地域（Sagaing Region） 93,705km²

> ア　ザガイン県（Sagaing District）　2,483km²
> 　(a) ザガイン郡　Sagaing Township
> 　(b) ミンム郡　Myinmu Township
> 　(c) ミャウン郡　Myaung Township
> イ　シュエボ県（Shwebo District）14,877km²
> 　(a) シュエボ郡　Shwebo Township
> 　(b) キンウー郡　Khin-u Township
> 　(c) ウェレ郡　Wetlet Township
> 　(d) カンバル郡　Kantbalu Township
> 　(e) チュンラ郡　Kyunhla Township
> 　(f) イェウー郡　Ye-u Township
> 　(g) ディペイン郡　Dipaynn Township
> 　(h) ダズィ郡　Daze Township
> ウ　モンユワ県（Monywa District）　10,042km²
> 　(a) モンニワ郡　Monywa Township
> 　(b) ブダリン郡　Budalin Township
> 　(c) アヤドー郡　Ayadaw Township
> 　(d) チャウンウー郡　Chaung-u Township
> 　(e) インマビン郡　Yinmabin Township
> 　(f) カニ郡　Kany Township
> 　(g) サリンジー郡　Salingyi Township
> 　(h) パレ郡　Pale Township

1）国のかたち ★ 217

エ　カター県（Katha District）　　15,862km²
　(a) カター郡　　Katha Township
　(b) インドー郡　　Indaw Township
　(c) ティージェイン郡　　Htigyaing Township
　(d) バンマウッ郡　　Banmauk Township
　(e) コーリン郡　　Kawlinn Township
　(f) ワント郡　　Wuntho Township
　(g) ピンレブー郡　　Pinlebu Township
オ　カレー県（Kalay District）　　8,642km²
　(a) カレー郡　　Kalay Township
　(b) カレーワ郡　　Kalaywa Township
　(c) ミンギン郡　　Minginn Township
カ　タムー県（Tamu District）　　1,325km²
　(a) タムー郡　　Tamu Township
キ　モーライ県（Mawlaik District）　　7,684km²
　(a) モーライ郡　　Mawlaik Township
　(b) パウンビン郡　　Hpaungbyin Township
ク　カンティー県（Khanti District）　　32,790km²
　(a) カンティー郡　　Khanti Township
　(b) ホンマリン郡　　Hommalin Township
　(c) レシー郡　　Leshi Township
　(d) ラヘ郡　　Lahe Township
　(e) ナンユン郡　　Nanyunn Township

⑥　タニンダーイ地域（Tanintharyi Region）　　43,345km²

ア　ダウェイ（ダーウェ）県（Dawei District）　　14,004km²
　(a) ダウェイ（ダーウェ）郡　　Dawei Township
　(b) ラウンロン郡　　Launglon Township
　(c) タイェチャウン郡　　Thayetchaung Township
　(d) イェピュ郡　　Yepyu Township
イ　ビェイ県（Myeik District）　　20,158km²
　(a) ビェイ郡　　Myeik Township
　(b) チュンズ郡　　Kyunzu Township
　(c) パロー郡　　Palaw Township
　(d) タニンダーイ郡　　Tanintharyi Township
ウ　コータウン県（Kawthoung District）　　9,183km²
　(a) コータウン郡　　Kawthoung Township
　(b) ボウッピィン郡　　Boukpyinn Township

⑦ バゴー地域 （Bago Region） 39,402km²

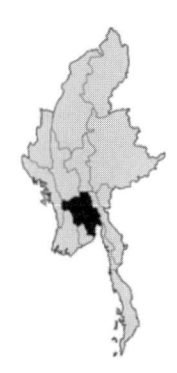

- ア　バゴー県（Bago District）　13,855km²
  - (a) バゴー郡　Bago Township
  - (b) タナッピン郡　Thanatpin Township
  - (c) カワ郡　Kawa Township
  - (d) ウォ郡　Waw Township
  - (e) ニャウンレービン郡　Nyaunglaybin Township
  - (f) チャウッダガー郡　Kyaukdagah Township
  - (g) ダイウー郡　Daik-U Township
  - (h) シュエジン郡　Shwegyin Township
- イ　タウングー県（Taungoo District）　10,645km²
  - (a) タウングー郡　Taungoo Township
  - (b) イェダーシェ郡　Yedarshe Township
  - (c) チャウッチー郡　Kyauk Kyi Township
  - (d) ピュー郡　Hpyu Township
  - (e) オットゥイン郡　Oktwinn Township
  - (f) タンダビン郡　Htandabin Township
- ウ　ピィ県（Pyay District）　7,642km²
  - (a) ピィ郡　Pyay Town ship
  - (b) パウッカウン郡　Paukkaung Township
  - (c) パダウン郡　Padaung Township
  - (d) パウンデ郡　Paungde Township
  - (e) テーゴン郡　Thegonn Township
  - (f) シュエダウン郡　Shwedaung Township
- エ　ターヤーワディ県（Thayawady Distinct）　7,261km²
  - (a) ターヤーワディ郡　Thayawady Township
  - (b) レパダン郡　Letpadann Township
  - (c) オウポ郡　Okhpo Township
  - (d) ジーゴン郡　Zigonn Township
  - (e) ミンラ郡　Minhla Township
  - (f) ナッタリン郡　Nattalinn Township
  - (g) モーニョ郡　Monyo Township
  - (h) ジョビンガウッ郡　Gyobingauk Township

⑧ マグウェー地域 (Magway Region) 44,821 km²

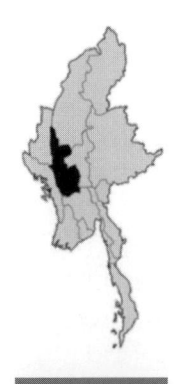

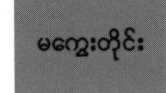

ア　マグウェー県 (Magway District)　9,630 km²
  (a) マグウェー郡　　Magway Township
  (b) イェナンジャウン郡　Yenangyoung Township
  (c) チャウッ郡　　Chauk Township
  (d) タンドゥインジー郡　Taungdwingyi Township
  (e) ミョーティ郡　Myothit Township
  (f) ナッマウ郡　Natmauk Township

イ　ミンブー県 (Minbu District)　9,314 km²
  (a) ミンブー郡　Minbu Township
  (b) プウィンビュ郡　Pwintbyu Township
  (c) ガペー郡　Ngahpe Township
  (d) サリン郡　Salinn Township
  (e) セトウタヤ郡　Setoktaya Township

ウ　タイェ県 (Thayet District)　11,972 km²
  (a) タイェ郡　Thayet Township
  (b) ミンラ郡　Minhla Township
  (c) ミンドン郡　Mindon Township
  (d) カンマ郡　Kamma Township
  (e) アウンラン郡　Aung Lan Township
  (f) シンバウンウェ郡　Sinbaungwe Township

エ　パコック県 (Pakokku District)　8,328 km²
  (a) パコック郡　Pakokku Township
  (b) イェサジョ郡　Yesagyo Township
  (c) ミャイン郡　Myaing Township
  (d) パウッ郡　Pauk Township
  (e) セイッピュー郡　Seikphyu Township

オ　ガンゴー県 (Gantgaw District)　5,578 km²
  (a) ガンゴー郡　Gantgaw Township
  (b) ティーリン郡　Htilinn Township
  (c) ソー郡　Saw Township

⑨ **マンダレー地域（Mandalay Region）　37,946km²**

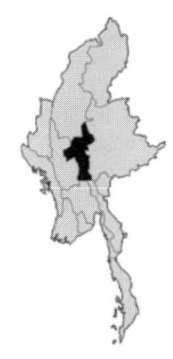

ア　マンダレー県（Mandalay District）　915km²
　(a) アウンミェータザン郡　Aung Myay Thazan Township
　(b) チャンエータザン郡　Chan Aye Thazan Township
　(c) マハアウンミェー郡　Maha Aung Myay Township
　(d) チャンミャタジー郡　Chan Mya Thasi Township
　(e) ピージーダグオン郡　Pyi Gyi Dagun Township
　(f) アマラプラ郡　Amarapura Township
　(g) パテインジー郡　Patheingyi Township

イ　ピンウールウィン県（Pyin-Oo-Lwin District）　8,307km²
　(a) ピンウールウィン郡　Pyin-Oo-Lwin Township
　(b) マダヤ郡　Madaya Township
　(c) シングー郡　Sintgu Township
　(d) モーゴウ郡　Mogok Township
　(e) タベイチン郡　Thabeikkyinn Township

ウ　チョウセー県（Kyauksei District）　4,157km²
　(a) チョウッセー郡　Kyauksei Township
　(b) シンガイン郡　Singaing Township
　(c) ミッター郡　Mitthah Township
　(d) タダーウー郡　Tada-u Township

エ　ミンジャン県（Myingyan District）　6,416km²
　(a) ミンジャン郡　Myingyan Township
　(b) タウンター郡　Taungthar Township
　(c) ヌワトージー郡　Nwahtogyi Township
　(d) チャウッパダウン郡　Kyaukpadaung Township
　(e) ガンズン郡　Nganzun Township

オ　ニャウンウー県（Nyaung-u District）　1,483km²
　(a) ニャウンウー郡　Nyaung-u Township

カ　ヤメーティン県（Yamethinn District）　10,878km²
　(a) ヤメーティン郡　Yamethinn Township
　(b) ピョーブウェ郡　Pyawbwei Township
　(c) タッコン郡　Tatkonn Townsliip
　(d) ピンマナー郡　Pyinmanah Township
　(e) レウェー郡　Leiway Town ship

キ　メイッティラー県（Meikhtilar District）　5,789km²
　(a) メイッティラー郡　Meikhtilar Township
　(b) マライン郡　Mahlaing Township
　(c) タージ郡　Tharzy Township
　(d) ワンドゥイン郡　Wundwin Township

1）国のかたち ★ *221*

⑩ モン州（Mon State） 12,297km²

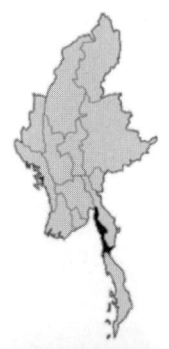

ア モーラミャイン県（Mawlamyine District） 6,662km²
　(a) モーラミャイン郡　Mawlamyine Township
　(b) チャイッマロ郡　Kyaikmaraw Township
　(c) チャウンゾン郡　Choungzon Township
　(d) タンビュザヤ郡　Thanbyuzayat Township
　(e) ムドン郡　Mudon Township
　(f) イェー郡　Yay Township
イ タトン県（Thahton District） 5,635km²
　(a) タトン郡　Thahton Township
　(b) パウン郡　Paung Township
　(c) チャイットー郡　Kyaikhto Township
　(d) ビーリン郡　Bilinn Township

⑪ ラカイン州（Rakkaing State） 36,778km²

ア シットウェ県（Sittwe District） 12,504km²
　(a) シットウェ郡　Sittwe Township
　(b) ポンナージュン郡　Ponnagyunn Township
　(c) ミャウッウー郡　Myauk-u Township
　(d) チャウット郡　Kyauk Taw Township
　(e) ミンビャー郡　Minbyah Township
　(f) ミェーボン郡　Myebon Township
　(g) パウットー郡　Pauk Taw Township
　(h) ラテーダウン郡　Rathedaung Township
イ マウンドー県（Maung Daw District） 3,538km²
　(a) マウンドー郡　Maung Daw Township
　(b) ブーティーダウン郡　Buthidaung Township
ウ チャウッピュ県（Kyauk Hpyu District） 9,984km²
　(a) チャウッピュ郡　Kyauk Hpyu Township
　(b) マンアウン郡　Man Aung Township
　(c) ランビェー郡　Ram Bye Township
　(d) アン郡　Ann Township
エ タンドゥエ県（Than Dwe District） 10,753km²
　(a) タンドゥエ郡　Than Dwe Township
　(b) タウンゴウ郡　Taung Gok Township
　(c) グヮア郡　Gwa Township

⑫　ヤンゴン地域（Yangon Region）　10,277km²

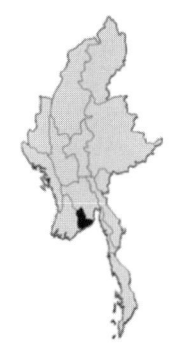

ア　ヤンゴン東部県（Yangon（East）District）　364km²
　（a）ティンガンジュン郡　　Thingangyunn Township
　（b）ヤンキン郡　　Yankin Township
　（c）南オッカラパ郡　　South Okkalapa Township
　（d）北オッカラパ郡　　North Okkalapa Township
　（e）タケタ郡　　Thaketa Township
　（f）ドーボン郡　　Dawbon Township
　（g）タムウェ郡　　Tamwe Township
　（h）パズンダウン郡　　Pazundaung Township
　（i）ボータタウン郡　　Botahtaung Township
　（j）ダゴンミョーティ南郡　　Dagon Myothit（South）Township
　（k）ダゴンミョーティ北郡　　Dagon Myothit（North）Township
　（l）ダゴンミョーティ東郡　　Dagon Myothit（East）Township
　（m）ダゴンミョーティ(セイッカン郡) Dagon Myothit
　　　（Seikkann）Township
　（n）ミンガラタウンニュン郡　　Mingalar Taungnyunt Township
イ　ヤンゴン西部県（Yangon（West）District）　176km²
　（a）チャウッタダ郡　　Kyauktada Township
　（b）パベダン郡　　Pabedann Township
　（c）ランマドー郡　　Lanmadaw Township
　（d）ラター郡　　Latha Township
　（e）アーロン郡　　Ahlon Township
　（f）チーミンダイン郡　　Kyimyindaing Township
　（g）サンチャウン郡　　Sanchaung Township
　（h）ライン郡　　Hlaing Township
　（i）カマユ郡　　Kamayut Township
　（j）マヤンゴン郡　　Mayangone Township
　（k）ダゴン郡　　Dagon Townshjp
　（l）セイッカン郡　　Seikkan Township
　（m）バハン郡　　Bahan Township
ウ　ヤンゴン南部県（Yangon（South）District）　5,053km²
　（a）タンリン郡　　Tanlyin Township
　（b）チャウッタン郡　　Kyauktann Township
　（c）トーングウァ郡　　Thongwa Township
　（d）カヤン郡　　Khayann Township
　（e）トゥオンテー郡　　Twantay Township
　（f）コーム郡　　Kawthmu Township
　（g）クウォンジャンゴン郡　　Kungyangonn Township
　（h）ダラ郡　　Dala Township
　（i）セイッチー/カナウント郡　Seikkyee / Khanaungto Township
　（j）ココージュン郡　　Cocogyunn Township
エ　ヤンゴン北部県（Yangon（Norlh）District）　4,684km²
　（a）インセイン郡　　Insein Township

(b) ミンガラードン郡　Mingalardon Township
  (c) モービィ郡　Hmawby Township
  (d) レーグ郡　Hlegu Township
  (e) タイチー郡　Taikkyee Township
  (f) タンダビン郡　Htandabin Township
  (g) シュエピィター郡　Shwepyithar Township
  (h) ラインタヤー郡　Hlaing Thayar Township

⑬　シャン州（Shan State）　155,796 km²

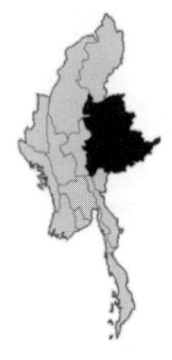

ア　タウンジー県（Taunggyi District）　23,281 km²
  (a) タウンジー郡　Taunggyi Township
  (b) ホポン郡　Hopong Township
  (c) ニャウンシュエ郡　Nyaung Shwe Township
  (d) シサイン郡　Hsi Hsaing Township
  (e) カロー郡　Kalaw Township
  (f) ピンダヤ郡　Pindaya Township
  (g) ユワガン郡　Ywar Ngan Township
  (h) ヤッサウ郡　Yat Sauk Township
  (i) ピンラウン郡　Pinlaung Township
  (j) ペーコン郡　Hpe Hkon Township

イ　ロワイリン県（Loi Lin District）　31,948 km²
  (a) ロワイリン郡　Loi Lin Township
  (b) レージャー郡　Lei Gyah Township
  (c) ナンサン郡　Nant Hsan Township
  (d) クンヘイン郡　Kunheinn Township
  (e) モーネー郡　Mo-ne Township
  (f) リンケー郡　Linn Hkay Township
  (g) マウッメー郡　Mauk Mei Townsliip
  (h) マインパン郡　Maing Pan Township
  (i) チェーティー郡　Kyee Thee Township
  (j) マインカイン郡　Maing Kaing Township
  (k) マインスー郡　Maing Hsu Township

ウ　ラーショー県（Lashio District）　23,340 km²
  (a) ラーショー郡　Lashio Township
  (b) テインニー郡　Theinny Township
  (c) マインイェー郡　Maing Yei Township
  (d) タンヤン郡　Tant Yann Township
  (e) マンパン郡　Man Hpant Township
  (f) パンヤン郡　Pan Yann Township
  (g) ナーパン郡　Na Phann Township
  (h) パンワイン郡　Pan Waing Township
  (i) マインモー郡　Maing Maw Township

エ　ムセ県（Muse District）　　7,818km²
　(a) ムセ郡　　Muse Township
　(b) ナムカン郡　　Nam Hkam Township
　(c) クッカイ郡　　Kut Kai Township
オ　チャウッメー県（Kyaukme District）　　25,793km²
　(a) チャウッメー郡　　Kyaukme Township
　(b) ナウンチョー郡　　Naungcho Township
　(c) ティボー郡　　Thibaw Township
　(d) ナムトゥ郡　　Namtu Township
　(e) ナムサン郡　　Nam Hsan Township
　(f) モーメイ郡　　Momeik Township
　(g) マベイン郡　　Mabeinn Township
　(h) マントン郡　　Manton Township
カ　クンロン県（Kunlon District）　　2,424km²
　(a) クンロン郡　　Kunlon Township
　(b) ホーパン郡　　Hopan Township
キ　ラウッカイン県（Laukkaing District）　　1,894km²
　(a) ラウッカイン郡　　Laukkaing Township
　(b) コンジャン郡　　Konn Gyann Township
ク　チャイントン県（Kyaing Ton District）　　10,680km²
　(a) チャイントン郡　　Kyaing Ton Township
　(b) マインカッ郡　　Maing Hkat Township
　(b) マインヤン郡　　Maing Yang Township
ケ　マインサッ県（Maicng Hsat District）　　18,371km²
　(a) マインサッ郡　　Maing Hsat Township
　(b) マインピン郡　　Maing Pyinn Township
　(c) マイントン郡　　Maing Ton Township
コ　タチレイ県（Tar-chi-leik District）　　3,587km²
　(a) タチレイ郡　　Tar-chi-leik Township
サ　マインピャッ県（Maing Hpyat District）　　6,667km²
　(a) マインピャッ郡　　Maing Hpyat Township
　(b) マインヤウン郡　　Maing Yaung Township

⑭ エーヤワディ地域（Ayeyarwady Region） 35,032km²

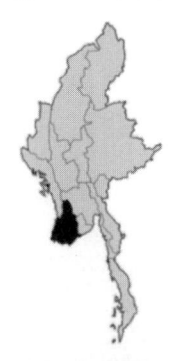

ア　パテイン県（Pathein District）　　10,900km²
　(a) パテイン郡　　Pathein Township
　(b) カンジーダウン郡　　Kangyidaung Township
　(c) ターバウン郡　　TharbaungTownship
　(d) ナプドー郡　　Ngapudaw Township
　(e) チョンピョー郡　　Kyonpyaw Township
　(f) イェーヂ郡　　Ye-kyi Township
　(g) チャウンゴン郡　　Kyaunggonn Township

イ　ヒンタダ県（Hinthada District）　　6,986km²
　(a) ヒンタダ郡　　Hinthada Township
　(b) ザルン郡　　Zalun Township
　(c) レーミェナー郡　　Lay-myet-hna Township
　(d) ミャンアウン郡　　Myan-aung Township
　(e) チャンギン郡　　Kyanginn Township
　(f) インガブ郡　　Ingapu Township

ウ　ミヤウンミャ県（Myaungmya District）　　7,346km²
　(a) ミヤウンミャ郡　　Myaungmya Township
　(b) エインメー郡　　Einme Township
　(c) ラプター郡　　Latputtar Township
　(d) ワーケマ郡　　Wakhema Township
　(e) モラミャインジュン郡　　Mawlamyainggyunn Township

エ　マウビン県（Ma-ubin District）　　4,277km²
　(a) マウビン郡　　Ma-ubin Township
　(b) パンタノ郡　　Pantanaw Township
　(c) ニャウンドン郡　　Nyaungdonn Township
　(d) ダヌビュ郡　　Danubyu Township

オ　ピャポン県（Hpyapon District）　　5,522km²
　(a) ピャッポン　　Hpyapon Township
　(b) ボガレー郡　　Bogalay Township
　(c) チャイラッ郡　　Kyaiklat Township
　(d) デーダイェ郡　　Dedaye Township

2）ミャンマーの人々

ミャンマーの基礎知識

宗教・国民性

(1) 宗教

　ミャンマー政府の公式発表では、人口の89.2％が上座部仏教を信仰しているとされています。キリスト教（5.0％）、イスラム教（3.8％）、ヒンズー教（0.5％）、その他アニミズムも信仰されています。国民の間では、日本の八百万の神のような民間信仰「ナッ」を信ずる人もいます。

　国民の信教は自由で、ミャンマーの国民は、宗派を問わず宗教心が豊かです。キリスト教徒、イスラム教徒という理由で政府から弾圧されません。ミャンマー国内の各地を巡っても、仏教徒の僧院、キリスト教の協会、モスク、中国寺院、ヒンズー寺院などが見事に共存している様子が確認できます。バマー（ビルマ）族、シャン族、モン族などが多く居住する地方では、いたる所に金箔の仏塔が見られ、カチン州などではキリスト教の協会が目立ちます。

　ミャンマーではパヤー（パゴダ・仏塔）と僧院・寺院は明確に区別され、両者は全くの別の範疇のものです。僧院・寺院では僧侶が居住し、宗教活動を行い、施設の維持管理を僧侶自らが行っています。パヤーは在家の信者が維持・管理を行っており、僧侶は境内では生活していません。仏塔祭などの行事には僧侶は関与しません。両者に共通するのは、宗教的な施設、在家の寄進から成り立っていることぐらいです。パヤーには仏塔、仏像、経典、聖遺物などの意味もあります。

　多くの日本の書物に「シュエダゴンパゴダ寺院」、「シュダゴンパゴダはミャンマー最大の寺院である」などと記載されているのが見られますが、全くの理解不足から来ています。仏塔と五重塔は起源を同じくしていますから、そこか

ら来た誤解と考えられます。日本国内では、寺院の中に五重塔が在ります。

　仏教徒の男性は、一生に一度は僧院生活を送る習慣があります。ミャンマーに旅行すると、得度式の行列を目にすることがよくあります。

　ミャンマーの仏教は上座部仏教で、輪廻転生を広く信じています。善い行いをすると、来世では金持ちになれたり、地位の高い人になれると固く信じています。悪い行いをすると、虫けらになったり獣になったりします。そのためミャンマーの人たちは、他人に対して非常に親切な人が多いと言えます。

　ミャンマー仏教は現世の利益を求めるものではありませんが、日本のお稲荷さまのような現世の利益を追求する「ナッ」信仰も広く普及しています。

(2) 国民性

　ミャンマーの人たちは、一般的には控えめで自己主張をあまりしません。女性の地位が高く、男女の賃金格差は同一の仕事をする限り、ないと言えます。

　バマー族は、元来が騎馬民族であった関係で、戦いになるとその本領を発揮するようです。隣国タイとの戦では、ミャンマー側の勝率が80％であったと言われています。男の人たちはその日のために英気を養っているのかのように、日ごろの行動は穏やかでゆったりとしています。これに対して、女性はよく働き活動的な人が多いです。そのため、女性が羽振りを利かし、世界で最も男女平等の国の1つと言われています。バゴーでは特に女性の地位が高く、「バゴーの男性は女性の尻に敷かれる」という諺もあります。

　しかし、経営トップや大臣などは男性が圧倒的に多いです。経営や国の運営は、いわば相手との戦状態にあると言えますから、男性の方がその適格性が高いからと考えられます。日ごろは女性の尻に敷かれていますから、パヤー（パゴダ）の前のみに男性の特権が与えられています。女性はパヤーに金箔を貼ったりする行為は許されていません。このあたりで、どうやら男性は日ごろの鬱憤を晴らしているようです。

　また、ミャンマー人はプライドが非常に高く、嫉妬心は並大抵のものではありません。ビジネスをする場合、この点を考慮しないと大変なことになりま

す。日本人は人脈を広げるために多くの人と付き合いますが、ミャンマーでは、この人と決めたらその人に全面的に頼るべきです。好い人に行き会うことは容易ではありません。ミャンマーに知己のいない人は、長い間ミャンマーに携わって来た人や信頼できる団体（例えば当センター）に相談するとよいでしょう。

　ミャンマー人は恥かしがりやで、日本人と気質がよく似ています。また、日本人と同じような笑い方もします。そのため、多くの日本人はミャンマー人に親近感を抱きます。多くのミャンマー人は、チベット高原を南下したのがミャンマー人、東北に向かったのが日本人と考えているようです。ちなみに、ミャンマー語の語順は日本語とほぼ同じで、「てにをは」のような助詞もあります。

　ミャンマー人は、江戸時代の日本のように姓がなく名前のみです。有名なアウンサンスーチー氏は、アウンサンが苗字でスーチーが名前と考えられがちですが、アウンサンスーチーで1つの名前です。

　そして、一般的なミャンマー国民はお墓というものを持ちません。輪廻転生を固く信じていますから、死後は別次元に生まれ変わるものと信じています。骨は単なる物質に過ぎません。ミャンマーでの旧日本人兵士の遺骨収集は、ミャンマー人の宗教観にそぐいません。ミャンマー人は相手の気持ちを思いやることが多い国民性ですから、遺骨の収集に対して文句は言いませんが、奇異に思っていることは確かです。また、慰霊という考えもありません。2008年のサイクロン「ナルギス」の医療活動に携わった人たちが、家族の死についてあまり嘆き悲しんでいないので吃驚したと言っていました。日本人のように、遺体の収集に救出作業として全力を尽くすことはありません。このあたりが、サイクロン後のミャンマー政府の対応に誤解が生じた一因でもあります。

(3) 民族

　ミャンマーには数多くの民族が共存しており、約135の民族が居住しています。主な民族はカチン1.5%、カヤ0.75%、カイン7%、チン2.2%、バマー（ビルマ）68%、モン2%、ラカイン4%、およびシャン9%です。それらの中で、

バマー族が最大で全体の3分の2を占めています。国民の人口は約6,200万人と推計されています。
　ミャンマーでは、少数民族との抗争がメディアをよく賑わします。その要因の多くは、イギリス統治時代の分割統治にあると言われています。近年では、カイン（カレン）族やカチン族、ラカイン州に居住するロヒンジャーとの対立がメディアの話題になりました。ミャンマー政府や反政府の立場であった少数民族までもが、ロヒンジャーをミャンマー国民と認めていないようです。ロヒンジャーとの対立は根深いものがあります。
　少数民族が居住する場所は大半が山岳地帯で、森林資源や鉱物資源に恵まれており、隣接するタイや中国、インドなどとの国境取引の権益があります。少数民族との対立は、権益確保のための抗争が背景にあると考えてもよいでしょう。最近では、ダム建設の問題でカチン族などが政府に抗議を申し込んだりしています。

ミャンマー政府閣僚名簿（2012年10月現在）

Office of the President（大統領府）
President Thein Sein（テインセイン）
Vice President Nyan Tun（ニャントゥン）
Vice President Dr. Sai Mauk Kham（サイマウッカン）
Minister（President Office（1））Thein Nyunt（テインニュン）
Minister（President Office（2））Soe Maung（ソーマウン）
Minister（President Office（3））Soe Thein（ソーテイン）
Minister（President Office（4））Aung Min（アウンミン）
Minister（President Office（5））Tin Naing Thein（ティンナインテイン）
Minister（President Office（6））Hla Tun（ラトゥン）
Deputy Minister Than Shint（タンシン）
Deputy Minister Aung Thein（アウンテイン）

1. **Ministry of Agriculture and Irrigation**（農業・灌漑省）
   Minister Myint Hlaing（ミィンライン）
   Deputy Minister Ohn Than（オンタン）
   Deputy Minister Khin Zaw（キンゾー）
2. **Ministry of Commerce**（商業省）
   Minister Wunna Kyaw Htin Win Myint（ウィンミィン）
   Deputy Minister Dr. Pwint San（プウィンサン）
3. **Ministry of Communications, Post and Telegraphs**（通信・郵便・電信省）
   Minister Thein Tun（テイントゥン）
   Deputy Minister Tint Lwin（ティンルウィン）
   Deputy Minister Win Than（ウィンタン）
   Deputy Minister Thaung Tin（タウンティン）
4. **Ministry of Construction**（建設省）
   Minister Kyaw Lwin（チョールウィン）
   Deputy Minister Soe Tin（ソーティン）
5. **Ministry of Cooperatives**（共同組合省）
   Minister Kyaw Hsan（チョーサン）

Deputy Minister Than Tun（タントゥン）
 6. **Ministry of Culture**（文化省）
   Minister Aye Kyu（エーチュウ）
   Deputy Minister Sandar Khin（サンダーキン）
   Deputy Minister Than Swe（タンスエ）
 7. **Ministry of Defense**（国防省）
   Minister Lt. Gen. Wai Lwin（ウェルウィン）
   Deputy Minister Brig-Gen Kyaw Nyunt（チョーニュン）
   Deputy Minister Col. Aung Thaw（アウントー）
 8. **Ministry of Education**（教育省）
   Minister Dr. Mya Aye（ミャエー）
   Deputy Minister Aye Kyu（エーチュウ）
   Deputy Minister Ba Shwe（バシュエ）
   Deputy Minister Dr. Myo Myint（ミョーミィン）
 9. **Ministry of Electric Power**（電力省）
 （第一・第二電力省統合（2012年9月5日））
   Minister Khin Maung Soe（キンマウンソー）
   Deputy Minister Aung Than Oo（アウンタンウー）
   Deputy Minister Myint Zaw（ミィンゾー）
 10. **Ministry of Energy**（エネルギー省）
   Minister Than Htay（タンテー）
   Deputy Minister Htin Aung（ティンアウン）
 11. **Ministry of Environmental Conservation and Forestry**（環境保護・林業省）
   Minister Win Tun（ウィントゥン）
   Deputy Minister Aye Myint Maung（エーミィンアウン）
   Deputy Minister Dr. Daw Thet Thet Zin（テッテッジン）
 12. **Ministry of Finance and Revenue**（財務歳入省）
   Minister Win Shein（ウィンシェイン）
   Deputy Minister Dr. Lin Aung（リンアウン）
   Deputy Minister Dr. Maung Maung Thein（マウンマウンテイン）
 13. **Ministry of Foreign Affairs**（外務省）
   Minister Wunna Maung Lwin（ワナマウンルウィン）
   Deputy Minister Thant Kyaw（タンチョー）
   Deputy Minister Zin Yaw（ジンヨー）

14. Ministry of Health（保健省）
    Minister Dr. Pe Thet Khin（ペテッキン）
    Deputy Minister Dr. Win Myint（ウィンミィン）
    Deputy Minister Dr. Daw Thein Thein Htay（テインテインテー）
15. Ministry of Home Affairs（内務省）
    Minister Lt-Gen Ko Ko（コーコー）
    Deputy Minister Brig-Gen Kyaw Swar Myint（チョースワミィン）
    Deputy Minister Police Maj-Gen Kyaw Kyaw Tun（チョーチョートゥン）
16. Ministry of Hotel and Tourism（ホテル観光省）
    Minister Htay Aung（テーアウン）
17. Ministry of Immigration and Population（入国管理・人口省）
    Minister Khin Yi（キンイー）
    Deputy Minister Kyaw Kyaw Win（チョーチョーウィン）
    Deputy Minister Brig-Gen Win Myint（ウィンミィン）
18. Ministry of Industrial Development（産業発展省）
    Minister Lt-Gen Thein Htay（テインテー）
    Deputy Minister Han Sein（ハンセイン）
    Deputy Minister Khin Maung（キンマウン）
19. Ministry of Industry（工業省）
    Minister Aye Myint（エーミィン）
    Deputy Minister Thein Aung（テインアウン）
    Deputy Minister Myo Aung（ミョーアウン）
20. Ministry of Information（情報省）
    Minister Aung Kyi（アウンチー）
    Deputy Minister Paik Htway（パイトゥエ）
    Deputy Minister Ye Htut（イェトゥ）
21. Ministry of Labor（労働省）
    Minister Maung Myint（アウンミィン）
    Deputy Minister Myint Thein（ミィンテイン）
22. Ministry of Livestock Breeding and Fisheries（畜水産省）
    Minister Ohn Myint（オンミィン）
    Deputy Minister Khin Maung Aye（キンマウンエー）
23. Ministry of Mines（鉱山省）
    Minister Dr. Myint Aung（ミィンアウン）

24. **Ministry of National Planning and Economic Development**（国家計画経済開発省）
　　Minister Dr. Kan Zaw（カンゾー）
　　Deputy Minister Hset Aung（セッアウン）
　　Deputy Minister Dr. Khin San Yi（キンサンイー）
25. **Ministry of Progress of Border Areas and National Race and Development Affairs**（国境省）
　　Minister Lt-Gen Thein Htay（テインテー）
　　Deputy Minister Brig-Gen. Zaw Win（ゾーウィン）
26. **Ministry of Rail Transportation**（鉄道省）
　　Minister Maj. Gen. Zayar Aung（ゼーヤーアウン）
　　Deputy Minister Thura Thaung Lwin（タウンルウィン）
　　Deputy Minister Chan Maung（チャンマウン）
27. **Ministry of Religious Affairs**（宗教省）
　　Minister Thura Myint Maung（トゥラミィンマウン）
　　Deputy Minister Dr. Maung Maung Htay（マウンマウンテー）
　　Deputy Minister Soe Win（ソーウィン）
28. **Ministry of Science and Technology**（科学技術省）
　　Minister Dr. Ko Ko Oo（コーコーウー）
29. **Ministry of Social Welfare, Relief and Resettlement**（社会福祉・経済復興省）
　　Minister Dr. Myat Myat Ohn Khin（ミャーミャーオンキン）
　　Deputy Minister Phone Swe（ポーンスウェ）
　　Deputy Minister Su Su Hlaing（ススライン）
30. **Ministry of Sports**（スポーツ省）
　　Minister Tint Hsan（ティンサン）
　　Deputy Minister Thaung Htaik（タウンタイッ）
31. **Ministry of Transport**（運輸省）
　　Minister Nyan Tun Aung（ニャントゥンアウン）
　　Deputy Minister Han Shein（ハンシェイン）

〈ミャンマー経済・投資センター(JMEIC)〉
　2012年9月設立。主要事業として、ミャンマーへの投資・進出支援(投資・貿易取引のご相談、ミャンマーパートナーの紹介・斡旋など)、ミャンマー訪問・視察支援(現地企業訪問、政府担当者とのアポイント手配、日本語通訳手配、視察団派遣およびその手配など)、ミャンマーに関する情報提供(ミャンマーセミナー開催・共催、書籍・資料出版、セミナーへの講師派遣など)、その他(各種相談、調査、翻訳など)を行う。
　また、当面の重点事業として、業界別ミッションの企画・派遣、中小企業向けリース工場の建設(企画)を予定している。

住所：東京都中央区日本橋人形町2-10-5 TMA人形町ビル2F
TEL：03-5649-3092　　FAX：03-5649-2901
URL：http://www.jmeic.org

早わかり ミャンマービジネス　　　　　　　　　　　　　　　NDC335

2013年4月30日　初版1刷発行　　　　　(定価はカバーに表示してあります)

　　　　　　　Ⓒ　編著者　　ミャンマー経済・投資センター
　　　　　　　　　発行者　　井水　治博
　　　　　　　　　発行所　　日刊工業新聞社
　　　　　　　　　　　　　　〒103-8548　東京都中央区日本橋小網町14-1
　　　　　　　　　電　話　　書籍編集部　03(5644)7490
　　　　　　　　　　　　　　販売・管理部　03(5644)7410
　　　　　　　　　ＦＡＸ　　03(5644)7400
　　　　　　　　　振替口座　00190-2-186076
　　　　　　　　　ＵＲＬ　　http://pub.nikkan.co.jp/
　　　　　　　　　e-mail　　info@media.nikkan.co.jp
　　　　　製　作　　(株)日刊工業出版プロダクション
　　　　　印刷・製本　新日本印刷(株)

落丁・乱丁本はお取り替えいたします。　　　2013 Printed in Japan
ISBN 978-4-526-07071-6　C3034

本書の無断複写は、著作権法上の例外を除き、禁じられています。

●日刊工業新聞社の好評図書●

親日指数世界一の国!
インドネシアが選ばれるのには理由(わけ)がある

茂木正朗 著

定価(本体1,400円+税)　ISBN978-4-526-06865-2

空前の企業進出ブームに湧くインドネシア。欧米や日系企業だけでなく韓国、中国企業の進出も著しい。本書は、親日指数が世界一である有数の親日国家インドネシアおよび首都ジャカルタの今を軽快な文章で綴るビジネス書。さらに海外ビジネス経験が浅い初心者が陥りやすい落とし穴についても解説する。

激動するアジア経営戦略
―中国・インド・ASEANから中東・アフリカまで―

安積敏政 著

定価(本体3,800円+税)　ISBN978-4-526-06362-6

不況の波をまともに受けた日本企業も漸く攻勢に舵を切り、2010年以降の長期ビジョンや中期計画の策定に取り組むタイミングを迎えている。日本企業が生き残っていくための「これからのアジア戦略」を、具体的に提示した一冊。

早わかり ベトナムビジネス
―第2版―

ベトナム経済研究所 編著　窪田光純 著

定価(本体1,800円+税)
ISBN978-4-526-06155-4

これ1冊でまるごとわかる!
ベトナム進出・投資実務Q&A

ベトナム経済研究所 監修　みらいコンサルティング(株)編著

定価(本体2,000円+税)
ISBN978-4-526-06506-4

図解 インドビジネスマップ
―主要企業と業界地図―

インド・ビジネス・センター 編著　島田 卓 監修

定価(本体2,200円+税)
ISBN978-4-526-06790-7

アジア物流と貿易の実務

鈴木 邦成 著

定価(本体2,000円+税)
ISBN978-4-526-07007-5